Nina Winkler

la gym brûle graisse
Avec le programme Core,
entraînez-vous avec des séances
de 15, 30 ou 60 minutes

Bibliothèque Robert-Lussier
1, place d'Évry
Repentigny (Québec) J6A 8H7
(450) 470-3420

MARABOUT

Sommaire

Fitness minute – éliminez vos dépôts de graisse avec l'effet Core

Votre organisme élimine-t-il correctement ses dépôts de graisse ? Probablement pas, sinon vous ne tiendriez pas ce livre entre vos mains. L'explication est relativement simple : la plupart des programmes d'entraînement ne s'attaquent qu'aux symptômes. Avec notre programme d'entraînement vous attaquez les racines du problème à la base – au Core. Bien sûr, vous pouvez perdre rapidement un kilo avec un tout autre programme – mais êtes-vous sûr(e) que ces programmes turbo n'endommagent pas durablement le fonctionnement de votre métabolisme et ne provoquent pas l'apparition de bourrelets sur vos hanches ?

J'ai écrit ce livre pour vous révéler les secrets de la combustion active des dépôts de graisse. Il vous aidera à les éliminer et à mincir durablement - tout en s'adaptant à vos besoins spécifiques. Même avec peu de temps libre vous pouvez modeler votre corps selon vos souhaits. Sachez que seul un programme d'entraînement que vous pouvez tenir dans la durée, en s'intégrant sans problème à votre vie quotidienne, est un bon programme d'entraînement.

La base de ce programme est l'entraînement Core – une combinaison de choc qui intègre mouvements, alimentation et récupération. Sur cette base solide, l'élimination des dépôts de graisse devient réalité et apporte comme par enchantement les résultats souhaités. Essayez tout simplement !

Bon entraînement avec le programme Core
Nina Winkler

Les bases

ÉLIMINEZ VOS DÉPÔTS DE GRAISSE AVEC LE PRINCIPE DES TROIS COLONNES

Nombreux sont les programmes d'entraînement pour perdre des kilos – mais aucun n'est aussi efficace que le programme d'élimination des dépôts de graisse Core. Une combinaison intelligente d'unités cardio-intensives, des séries de mouvements ciblées et un régime alimentaire simple, mais efficace vous aident à perdre vite du poids. Et ceci en fonction du temps que vous comptez consacrer à votre forme : vous avez le choix entre des modules de 15, 30 ou 60 minutes – et vous pouvez commencer dès aujourd'hui.

Le programme Core "brûle-graisse" fait mincir

Des petits changements qui ont un grand impact. Habituez votre corps à éliminer durablement les dépôts de graisse avec ce programme extrêmement efficace.

Éliminer les dépôts de graisse - Optimisez l'effort !

Éliminer les dépôts de graisse – comment est-ce possible ? L'entraînement Core vous aide à optimiser chaque séance d'entraînement.

Entraînement - les basics Il suffit de commencer

Jamais deux sans trois : un peu d'entraînement cardio, des exercices de renforcement et des pauses de récupération stratégiques – c'est ainsi que fonctionne le programme d'élimination des dépôts de graisse Core !

Alimentation – les basiques Mangez bien !

L'entraînement Core et l'alimentation – deux concepts qui visent un seul but ! Voici une façon très facile pour intégrer de nouvelles habitudes alimentaires dans votre quotidien.

Le programme Core "brûle graisse" fait mincir

Ce programme est incroyablement efficace puisqu'en modifiant au minimum vos habitudes vous changez durablement votre façon d'éliminer les dépôts de graisse.

L'entraînement Core ne signifie pas seulement que vous allez changer votre manière de faire du sport. Vous allez également transformer votre métabolisme.

Je vous montre également quel entraînement cardio et quels exercices de renforcement seront les plus adaptés à votre cas.

La capacité de votre corps à éliminer les dépôts de graisse dépend essentiellement de deux facteurs : des phases de repos ciblées et bien placées ainsi qu'une alimentation qui stimule votre métabolisme.

Cela ne veut pas dire que vous allez faire plus de pauses, ni que vous vous êtes mal alimenté(e). Dans cet ouvrage, je ne fais que décrire les rapports qui existent entre tous ces éléments. Une fois la lecture terminée, vous serez à même d'optimiser l'effet de votre séance d'entraînement et le temps que vous y consacrez. Vous serez également en mesure de juger si votre programme d'entraînement habituel ou votre alimentation présentent des points faibles.

Peut-être cherchez-vous depuis longtemps à atteindre un poids idéal ou une certaine silhouette ? Peut-être ne faites-vous que commencer à vous familiariser avec le sport ?

Peu importe ce que vous avez mangé jusqu'à présent et le programme d'entraînement que vous avez suivi : le programme Core brûle graisse fonctionnera également sur vous. Il vous faudra probablement remettre en question votre façon de faire du sport et de vous alimenter, mais très vite vous en sentirez tout le bénéfice. Au lieu de l'effet « yo-yo » et autres pièges pour la silhouette vous allez gagner en force Core !

La force Core vient de l'intérieur

Le programme d'entraînement et le régime alimentaire visent le tréfonds de votre corps et provoquent un changement de l'intérieur. Un rapport étroit doit s'établir entre votre alimentation et votre capacité à éliminer les dépôts de graisse. À l'avenir votre corps ne stockera plus la moindre calorie et évitera plus facilement les petits écarts. Lors de l'entraînement vous travaillerez votre nouvelle silhouette. Votre métabolisme s'ajustera à une utilisation optimale de l'énergie et une alimentation principalement orientée vers le fitness vous aidera à maintenir le cap.

L'entraînement Core implique un travail de votre musculature profonde lors des exercices. Le corps ne peut réagir correctement aux réflexes

L'entraînement Core
n'est pas seulement efficace,
son effet est durable.

induits par l'entraînement que si les muscles sont suffisamment forts, stables et mobiles. Ainsi, il est important de bien choisir le moment de votre séance et les types d'exercices.

Vous devrez attacher la même importance aux temps de récupération. Cela ne veut pas dire qu'il ne faut plus bouger du tout – mais parfois cela vous fera le plus grand bien.

Si vous voulez travailler dans les meilleures conditions possibles veillez à bien adapter votre alimentation à votre métabolisme.

Vous possédez deux leviers importants pour éliminer les stocks de graisse. Je ne vous imposerai ni interdits ni obligations. Vous seul(e) décidez de ce que vous mangez et à vous de suivre mes conseils d'entraînement ou non.

Mes conseils et astuces sont faciles à suivre, et si vous lisez cet ouvrage avec attention, vous allez obtenir le résultat escompté. À condition que l'entraînement et l'alimentation forment un tout indissoluble dans votre esprit.

Seule la combinaison des deux permet d'éliminer efficacement les dépôts de graisse et de rester mince durablement.

Entraînez-vous selon le temps dont vous disposez

Trop de travail, pas le temps, manque de motivation – les raisons qui vous ont probablement fait échouer jusqu'ici sont multiples.

Si vous suivez les conseils de ce livre, vous remarquerez que vous ne modifierez pas uniquement votre silhouette. Même avec 15 minutes d'entraînement par jour vous changerez profondément – et non uniquement perdre du poids.

Vous remarquerez qu'avec une alimentation ciblée et juste un peu de volonté, le niveau de votre énergie et votre motivation augmenteront tout seules.

Si vous avez peu de temps, entraînez-vous régulièrement 15 minutes par jour – tout le monde peut y arriver. Bien sûr 30 ou 60 minutes auraient des effets plus probants et rapides sur la perte de poids. Mais mieux vaut peu d'entraînement qu'aucun !

Avec des mouvements précis, vous pouvez stimuler le métabolisme en peu de temps et vous maigrirez. Essayez de vous entraîner au moins une ou deux fois par semaine pendant plus de 15 minutes.

L'alimentation fitness

Il faut manger pour maigrir. Ce n'est pas une provocation mais une motivation. N'imposez pas à votre corps de se rationner toute la journée pour vous goinfrer par la suite, il réagira en stockant chaque calorie – de peur de manquer à nouveau. Il s'agit de perdre cette habitude.

Désormais vous devrez manger toutes les trois heures – vous pouvez peser vos portions et composer selon vos besoins. Dans le chapitre alimentation, vous apprendrez quel aliment vous fait du bien, à quel moment et comment vous pouvez déjeuner ou dîner au restaurant sans problème.

Les muscles qui font mincir

Pour avoir un corps mince, il faut connaître le rôle de ses muscles. Ils sont les meilleurs alliés de la perte de poids. Cela ne veut pas dire que vous devez soulever poids et haltères. Vous devez renforcer votre musculature en la préparant à l'effort. Vous devez construire une base solide.

Si vous travaillez d'une manière précise les muscles servant à éliminer les dépôts de graisse et que vous faites attention à entraîner votre corps harmonieusement de façon à puiser votre force de l'intérieur, vous atteindrez votre but. N'ayez pas peur des exercices présentés ici ! Vos muscles seront beaux, minces et fermes et non épais ou gonflés.

Tous les exercices sont conçus pour renforcer les muscles dorsaux et abdominaux tout en rendant les mouvements plus efficaces pour éliminer les dépôts de graisse. Une musculature active brûle davantage d'énergie qu'un tissu adipeux inerte. Des muscles fermes et minces associés à une bonne alimentation et à un entraînement d'endurance vous aideront à dépenser plus d'énergie et à brûler plus de calories.

Des unités de cardio-training intensives pour éliminer des dépôts de graisse

Mettez le turbo à votre métabolisme, rendez la combustion des dépôts de graisse plus efficace avec mes unités de cardio-training intensives. Peu importe si vous vous décidez pour le programme minimum de 15 minutes ou une variante plus longue – vous pouvez vous remettre en forme rapidement et efficacement même si vous avez peu de temps.

Les unités cardio-turbo sont très sportives et fatigantes, mais ne durent pas très longtemps. Selon le temps dont vous disposez, je vous propose des unités d'entraînement plus longues,

moins extrêmes ou des séances brûle graisse rapides et ultra-intensives. À vous de choisir ce que vous préférez. Peu importe votre choix – ce livre est la clé de votre silhouette idéale.

Des pauses qui prolongent l'effet de votre entraînement

Beaucoup de programmes de fitness prétendent que plus vous vous entraînez, plus vous atteignez votre but rapidement. Ce n'est qu'une fois que le corps a eu suffisamment de temps pour assimiler correctement les stimulations de l'entraînement, que les séances ultérieures peuvent se dérouler sur une bonne base. Chaque séance d'entraînement endommage légèrement les cellules du corps et vide plus ou moins son réservoir d'énergie. Donc, permettez-vous de bien récupérer après une séance d'entraînement, cela vous permettra de tirer profit au maximum de la séance suivante. Bien sûr, cela ne veut pas dire de rester allongé(e) sur le canapé. Celui qui combine intelligemment les unités cardio et celles de la musculation stimule son corps de deux façons différentes.

Ainsi vous pouvez, par exemple, effectuer des exercices de renforcement musculaire les jours où vous ne faites pas d'entraînement d'endu-

rance et vice versa. Souvent, on sous-estime les bienfaits de la régénération passive : massages, douches froides et chaudes en alternance, sauna ou une activité légère, qui peuvent aider le corps à se régénérer.

Trouver la bonne combinaison

Vous pouvez certainement obtenir des résultats en n'observant que le programme d'entraînement, ou les unités cardio, ou uniquement le programme d'alimentation. Cependant, je vous conseille d'attacher la même importance aux trois. Chaque composante est efficace à elle seule – mais pas autant qu'en les combinant toutes les trois, comme c'est le cas dans le programme d'entraînement Core. Imaginez une maison en hiver : vous pouvez renforcer l'isolation, chauffer, fermer portes et fenêtres. Sans isolation vous devez chauffer démesurément, sans chauffage vous n'auriez jamais vraiment chaud et si portes et fenêtres restent ouverts le chauffage fonctionnera à plein régime. Votre métabolisme fonctionne de la même manière.

Le bon mental

Maintenant vous voulez connaître le prix à payer : combien de temps me faudra-t-il, combien d'efforts et quels

L'entraînement Core vous motivera
par ses résultats immédiats.

renoncements ? Détrompez-vous : le fait de bouger et de bien s'alimenter doit être un plaisir et non pas une pénible et désagréable obligation ! Vous devez obtenir une sensation de bien-être.

Qu'est-ce qui vous a gâché le plaisir de faire du sport jusqu'à présent – et pourquoi n'avez-vous pas réussi à changer cela ?

Selon mon expérience, c'est souvent une question de mauvaise conscience : mauvaise alimentation ou manque d'activités.

Cette frustration provient fréquemment d'un programme qui n'est pas aussi efficace qu'il devrait l'être et de la peur de ne pas pouvoir maîtriser sa silhouette.

Laissez-vous surprendre par l'entraînement brûle graisse Core !

Vous verrez que les séances d'entraînement seront de plus en plus faciles et de plus en plus agréables dès que vous atteindrez vos premiers objectifs. Après quelques semaines, vos problèmes de silhouette s'évanouiront à votre plus grande satisfaction.

L'investissement est relativement faible : avec trois heures en moyenne d'entraînement Core par semaine et une alimentation saine, vous allez percevoir une perte de poids sensible !

Astuce Core

RESTER EN BONNE SANTÉ

Le but de l'entraînement Core, est de vous faire maigrir et de vous rendre performant. Si après une séance d'entraînement vous êtes souvent fatigué(e) ou si vous vous blessez facilement, vous devez en chercher la raison. La résurgence de blessures est souvent due à un manque de sommeil ou de repos, ou des deux à la fois. L'alimentation joue également un rôle important. Une alimentation réfléchie stimule à la fois le système immunitaire et votre forme.

Éliminer les dépôts de graisse : optimisez l'effort

Ici vous allez apprendre la base de l'entraînement, comment le corps élimine les dépôts de graisse et comment le programme Core vous aide à tirer profit au maximum de chaque séance d'entraînement.

Le programme brûle graisse Core prend en compte trois unités : votre état d'entraînement, votre indice de masse corporelle et votre budget temps. Suite à la lecture de ce chapitre et celui sur l'entraînement vous pourrez décider quel programme vous convient.

Celui de 60 minutes est l'entraînement de base sur lequel s'inscrivent les programmes plus courts.

Vous ne commencerez les unités d'entraînement intensif que lorsque vous aurez acquis une bonne condition physique et fait quelques séances d'entraînement. Il ne sera probablement pas facile d'adapter l'entraînement basique à votre vie quotidienne, cependant il est important de l'y intégrer pour inciter votre corps à entrer dans le mode brûle graisse.

Commencez absolument avec une base forte – c'est la seule garantie pour le succès du programme brûle graisse Core. Il n'y a pas de meilleur moment qu'un autre pour commencer avec le changement : le jour où vous trouvez le temps et la volonté sera le bon. De longues vacances peuvent être l'occasion idéale pour commencer si vous n'avez jamais fait de sport ou uniquement de manière sporadique ou si vous avez vraiment peu de temps dans votre vie quotidienne. Vous pouvez également vous préparer intensivement à de nouvelles habitudes alimentaires, à une autre façon de bouger et vous entraîner à un nouveau comportement orienté brûle graisse.

En principe, vous ne devrez effectuer l'entraînement que si vous êtes en parfait état de santé ; en cas de doute consultez votre médecin.

D'autres raisons requièrent la consultation préalable d'un médecin : un indice de masse corporelle en dessous de 18 ou au-dessus de 25, ou bien encore si vous n'avez pas ou peu fait de sport d'endurance depuis plus d'un an.

Astuce Core

COMMENT CALCULER SON INDICE DE MASSE CORPORELLE (IMC)

Il vous indique si votre poids se situe dans une fourchette normale. L'IMC est le rapport entre la taille et le poids : votre poids en kilos divisé par votre taille en mètres au carré. Des valeurs entre 22 et 25 indiquent un poids normal. Entre 25 et 30 vous entrez dans la zone d'un léger surpoids. Le vrai surpoids se situe au-delà de 30. Les valeurs en dessous de 18 indiquent un poids nettement insuffisant, entre 18 et 19 un poids légèrement insuffisant. Les valeurs entre 19 et 21 correspondent au poids idéal.

Mettre le corps en marche nécessite de l'énergie – mais pas uniquement pour le mouvement. Même au repos le corps a besoin de carburant pour maintenir les fonctions primaires du corps, comme le battement du cœur, la respiration, la digestion, etc. La nourriture a d'autres fonctions encore : elle aide le corps à bâtir des cellules et des tissus, et à les maintenir en état de fonctionnement. Elle participe à la synthèse des hormones et des enzymes. L'alimentation ne doit pas uniquement contenir des sources d'énergie, mais aussi des fibres, des minéraux et des vitamines. Une bonne alimentation aide également à renforcer le système immunitaire. Aucun régime compliqué n'est requis pour répondre à tous les besoins du corps. Mais une alimentation réfléchie et saine est très importante et indispensable si l'on veut efficacement éliminer les dépôts de graisse. Le métabolisme et sa gestion de l'énergie sont cruciaux pour la perte de poids. On distingue trois sources différentes d'énergie : protéines, lipides et glucides. Ces trois fournisseurs ont des propriétés diverses : même si vous êtes mince, votre corps comporte de grandes quantités de lipides. Ils seront plus facilement libérés lors de longues séances d'entraînement. À l'inverse, les glucides fournissent rapidement et efficacement de l'énergie. Les protéines font partie de la réserve du corps et ne seront pas automatiquement brûlées. Tirer l'énergie des protéines est relativement peu économique. Le glucose permet au corps de la transformer en énergie. Selon les qualités de la source d'énergie, les aliments auront une influence différente. Certains aliments sont très vite assimilés par le corps et fournissent vite de l'énergie, d'autres sont plus lents. Certains fournisseurs d'énergie agissent longtemps, rassasient plus et d'autres sont vite brûlés ou digérés. Tout dépend de la nature de la source d'énergie : selon qu'il s'agit de glucides, de protéines ou de lipides, le temps de combustion, mais aussi l'efficacité du combustible, varie.

Tirez votre propre bilan

Perdre du poids et éliminer les dépôts de graisse fonctionnent sur le même simple principe. Vous avez une certaine quantité de kilocalories (dénommés calories par la suite), dont votre corps a besoin pendant la journée. Cette énergie est sollicitée même au repos, donc même si vous passez votre journée au lit. C'est ce que l'on appelle le métabolisme de base du corps. L'exercice quotidien, le chemin du travail, les courses, le ménage, etc., tout cela nécessite davantage d'énergie : c'est le métabolisme en activité. Si votre profession est physiquement éprouvante, le métabolisme de base peut aller jusqu'à doubler. Vous pouvez également augmenter votre dépense de calories en faisant du sport : c'est le métabolisme d'effort. Selon la qualité, la durée et l'intensité de l'entraînement, la quan-

Astuce Core

MÉTABOLISME DE BASE D'UNE FEMME
Métabolisme de base = 0,9 kcal par 1 kg de poids et heure.

Bon à savoir

Bon à savoir

tité de calories nécessaires augmente. Si vous additionnez le métabolisme de base, le métabolisme en activité et le métabolisme d'effort, le résultat indique le nombre de calories nécessaires. Il y a des variations dans la façon dont le corps tire profit de l'énergie. Même l'énergie utilisée lors d'une séance de sport peut varier. L'héritage génétique, la capacité du métabolisme à extirper l'énergie, votre poids et l'efficacité de votre entraînement décident du montant de calories nécessaire. L'indice de masse corporelle vous indique si votre bilan est équilibré, donc si l'offre et la demande sont en adéquation (voir page 13).

Des muscles pour un corps mince

Les muscles brûlent de l'énergie, donc des calories. Ils donnent au corps ses contours et ses formes. Vous pensez peut-être qu'une culotte de cheval est une fatalité génétique ? Peut-être, mais vous pouvez y remédier ! Avec le bon entraînement cardio, de la musculation et une alimentation raisonnée, il est possible de changer une silhouette jusqu'alors immuable et de sculpter un corps bien proportionné. La première étape débute par un entraînement ciblant le renforcement musculaire en profondeur. Le programme d'entraînement Core vous aide à renforcer la musculature intérieure – celle qui déclenchera le changement. Tenez compte de vos proportions : beaucoup de femmes ont tendance à muscler leurs jambes quand elles n'en sont pas satisfaites. Mais ces femmes veillent-elles à équilibrer avec des exercices pour le haut du corps ? Souvent ce n'est pas le cas. Pour obtenir des formes minces et fermes vous devez ajouter un programme spécifique d'extensions, qui vous aidera à raccourcir des muscles trop gonflés ou à remettre en forme des tendons et des ligaments trop courts.

Astuce Core

CALCULEZ VOTRE MÉTABOLISME D'ACTIVITÉ
Activité physique légère (par exemple vendeuse)
Métabolisme de base + 1/3 du métabolisme de base.
Activité physique moyenne (par exemple décoratrice)
Métabolisme de base + 2/3 du métabolisme de base.
Activité physique forte (par exemple artisan, jardinière)
Métabolisme de base + métabolisme de base.
Additionnez en supplément les calories perdues en activité sportive.

Entraînement : les basiques
Il suffit de commencer !

L'entraînement Core se divise en trois éléments : unités cardio, musculation et pauses stratégiques. Apprenez comment vous y prendre et ce qui est important.

Étudiez bien le chapitre entraînement avant de commencer. Le but des unités d'entraînement Core est de travailler sur la musculation de fond et de développer les muscles qui vont éliminer les dépôts de graisse. Pour un entraînement optimal, j'ai réuni pour vous l'essentiel de ce qu'il faut savoir sur la posture, la respiration et l'exécution des exercices. Ensuite vous mettrez le turbo sur la combustion des dépôts de graisse avec les unités d'entraînement cardio Core. Là aussi il faut faire attention à certains détails, soyez précis(e) dans vos gestes. Et enfin, offrez-vous des pauses stratégiques entre les différents modules ! Les pages suivantes vous indiqueront comment et à quel moment faire des pauses, et tout ce qui est bon pour accélérer la combustion. À vous de jouer !

Activez le Core de votre corps !

Qu'est donc le Core ? En fait, la force du torse décide si la combustion des dépôts de graisse fonctionne ou pas. Vous pouvez effectuer un entraînement de qualité seulement si vous avez une bonne base, une technique précise et des muscles harmonieusement formés sans gaspiller d'énergie, vous pouvez mettre plus de force dans chaque pas, chaque coup de pédale

ou chaque brassée – et approcher du but sans perdre de temps. Plus techniquement, pour mesurer l'efficacité d'une séance d'entraînement on se sert de deux paramètres : la puissance active exprimée en watts et la fréquence cardiaque. Idéalement la puissance en watts devrait être la plus haute possible et la fréquence cardiaque la plus basse. La puissance en watts signifie, dans ce contexte, la même chose que l'endurance dans l'effort : soit faire du vélo, courir ou nager le plus longtemps possible. Si vous avez trop peu de force ou de dynamisme, cette capacité se trouve limitée. Le corps compense par ses capacités musculaires ou par une production d'énergie anaérobie. Dans le second cas, le muscle s'acidifie, le corps fatigue et doit cesser l'activité. Dans ce cas, il est intéressant de considérer la dynamique : les muscles sont élastiques, se contractent à chaque mouvement comme un élastique et stockent l'énergie. Le mouvement opposé étire le muscle, l'énergie se libère et génère le mouvement. L'endurance ainsi que la vitesse augmentent si les muscles sont élastiques.

À défaut, les muscles doivent se contracter de manière concentrique :

Courir est idéal pour brûler des graisses.

chaque mouvement doit être contrôlé consciemment. Ce qui en fin de compte vous demande plus d'énergie, de rapidité et est moins dynamique. Beaucoup de personnes qui souhaitent perdre du poids ont une démarche lourde, voire traînante, apathique et donc pas efficace. La capacité d'endurance et la lenteur se sont substituées à la qualité du mouvement. Dans le pire des cas cela entraîne un manque de volonté pour s'entraîner, fatigue, fragilité face aux infections ou même blessures. Vous pouvez éviter ceci avec l'entraînement Core, car vous veillez à ce que votre corps et votre appareil locomoteur puissent faire face aux sollicitations.

Si vous arrivez à augmenter la dynamique, donc la qualité de vos mouvements, vous exploitez mieux votre entraînement et tirez meilleur profit de votre investissement en temps. Vous raccourcissez le temps d'entraînement et ménagez le tissu musculaire, mais aussi les os, tendons, ligaments et articulations. Vous économisez votre temps et votre force.

Des muscles forts pour plus de Core

Peu importe l'activité sportive choisie pour la perte de poids – deux facteurs sont importants pour l'élasticité et la dynamique des mouvements. Vous avez intérêt à renforcer davantage les muscles servant au mouvement et vous devriez veiller à ce que la musculature du torse, principalement l'abdomen et le dos, soit forte et le corps souple dans son ensemble.

La force venue du milieu

Peu importe l'activité sportive choisie – informez-vous d'abord sur la technique appropriée et travaillez-la afin de bien la posséder. Parfois il est utile de rencontrer des personnes

Astuce Core

CHOISISSEZ VOTRE SPORT ÉLIMINATEUR DES DÉPÔTS DE GRAISSE

Les sports qui nécessitent le plus de muscles sont les plus efficaces pour éliminer les dépôts de graisse : faire de la bicyclette ne sollicite que 2/6 des muscles du corps, alors que la course à pied sollicite 5/6 des groupes musculaires.

La course à pied, la natation, l'aviron ou courir sur un cross trainer, tout est bon pour éliminer, sans oublier le ski de fond, ski, randonnée en montagne, roller.

Attention : tous les sports qui se pratiquent à contre-pente nécessitent un contrôle permanent de la fréquence cardiaque.

N'oubliez pas non plus que cela provoque une musculation accrue des jambes et du fessier.

Contrôlez votre pouls.

Veillez également à ce que votre technique du bâton soit active et techniquement correcte.

La bonne position de base

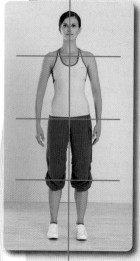

Tenez-vous bien! Faites un test:

Positionnez-vous face à un miroir et tenez-vous droit(e). Vérifiez les points suivants et corrigez si nécessaire :

- Imaginez une ligne droite vous traversant de la tête aux pieds : est-ce que votre corps dépasse d'un côté ?
- Est-ce que vos genoux, hanches et épaules se trouvent à la même hauteur ?
- Est-ce que vos genoux pointent vers l'avant ou plutôt vers l'intérieur ou l'extérieur ?

Maintenant positionnez-vous de côté par rapport au miroir et observez votre colonne vertébrale :

- Est-ce que les articulations des pieds, des genoux, des hanches et des épaules ainsi que la tête, se trouvent sur une même ligne imaginaire ?
- Est-ce que le bassin bascule en avant ou en arrière ?
- Est-ce que le haut du dos est arrondi ?
- Est-ce que vous faites tomber votre tête en avant ?
- Est-ce que vos épaules tombent ?

partageant le même programme afin de s'entraider et de corriger les positions. Souvent l'entraînement avec un coach personnel est utile. Lors d'une séance d'entraînement Core, vous devez également respecter certains points : il est important de se concentrer sur les exercices. Éteignez toute source de perturbation comme le portable ou la sonnette ou inscrivez-vous dans un club de fitness – ce moment vous appartient et vous devez pouvoir en profiter dans des conditions optimales. Veillez à porter des vêtements fonctionnels et des chaussures adéquates ; un bon matériel vous assure la tranquillité lors de l'entraînement. Avant chaque exercice activez la tension de base de votre corps : tendez activement le ventre, le plancher pelvien et le dos, prenez la bonne position de base. Faites ces exercices de préférence devant un miroir et veillez à effectuer des mouvements symétriques avec les bras et les jambes. Soufflez lors des efforts musculaires et aspirez quand vous décontractez les muscles. Si vous le souhaitez, vous pouvez écouter de la musique lors de votre séance d'entraînement ; un rythme de 125-130 bpm (beats per minute) est une bonne cadence. Ne faites pas l'impasse sur les exercices d'étirement : ils ne sculptent pas seulement les muscles pour lui donner la bonne forme, mais aident également à maintenir une bonne posture et à accélérer la régénération.

Ce qu'il faut savoir sur l'élimination des dépôts de graisse

Finissons-en avec un mythe tenace qui circule dans le monde du sport :
l'élimination des dépôts de graisse ne commence pas uniquement après 30 minutes ! La mise à disposition de l'énergie dépend de la durée et de l'intensité de l'effort – et peu importe l'activité choisie, elle nécessite de l'énergie stockée dans les bourrelets. Le pourcentage d'énergie puisée dans la graisse dépend de votre état d'entraînement personnel. Lors des premières séances le corps se servira peu de ses réserves de graisse. Il le fera progressivement. Le pourcentage est plus élevé au cours d'une activité lente et portée sur la durée. La dépense calorique totale est plus élevée lors d'une activité intense. C'est pourquoi les réserves de glucides se vident davantage, il convient donc de les remplir après la séance – ce qui motive à nouveau un dépôt de graisse si le bilan énergétique est négatif. Prenons une femme pesant 60 kilos qui fait son jogging à une vitesse de 8 km/heure. Elle dépensera 480 kcal. Si elle augmente sa vitesse à 12 km/heure, elle dépensera 740 kcal. Dans le premier cas le corps élimine un pourcentage plus élevé de graisses par rapport à l'effort total, dans le second cas, le pourcentage est

Astuce Core

CONTRÔLEZ CONSTAMMENT LA FRÉQUENCE DE VOS BATTEMENTS DE CŒUR

Si vous voulez connaître exactement combien de calories vous éliminez lors d'une séance d'entraînement, offrez-vous un cardiofréquencemètre. Procurez-vous un appareil possédant une liaison avec une ceinture. Cette méthode de mesure est presque aussi bonne que l'analyse chez le médecin et vous donne des indications importantes sur l'état de votre fitness et l'efficacité de l'entraînement.

plus bas. En chiffre absolu elle aura davantage éliminé de graisses dans le second cas.

En pratique, les deux méthodes sont efficaces, notamment si on les combine intelligemment.

La force est dans le repos

Vous aimez faire du sport ? Vous êtes donc assez motivé(e) pour commencer l'entraînement Core.

Préparez votre plan d'entraînement tranquillement, pour profiter au mieux de vos séances. L'idéal est de se fixer un objectif, puis de le séquencer en étapes. Réfléchissez bien à savoir si votre but et le temps alloué pour l'atteindre sont réalistes ! En général on compte 500 grammes de perte de poids en 2 à 3 semaines si l'entraînement est régulier et accompagné d'une alimentation appropriée. Aussi essayez de ne pas faire vos entraînements selon votre bon plaisir, mais planifiez-les soigneusement. Évitez absolument de travailler sur le renforcement musculaire d'un même groupe musculaire deux jours de suite. Cela perturbe le mécanisme de réparation du corps et diminue l'efficacité de l'entraînement.

Mon conseil : essayez plutôt de travailler sur un autre groupe musculaire ou variez entre renforcement musculaire et unités cardio. Vous trouverez des propositions sur la planification de votre entraînement dans les chapitres consacrés à l'entraînement. Accordez-vous suffisamment de plages de récupération dans votre planning : soit une journée complète au minimum, voire deux. Bien sûr il ne s'agit pas de rester allongé(e). La régénération passive et le soin des muscles peuvent être très agréables : offrez-vous des massages réguliers, des soins corporels, allez au sauna ou faites des jets chaud-froid.

Des mouvements légers comme la marche ou du vélo sont également très salvateurs.

Le bon moment

En principe le moment de la journée que vous choisissez pour votre entraînement importe peu. Le plus important est de vous y consacrer au moins 15 minutes.

Les unités cardio-turbo sont assez intensives et peuvent vous faire transpirer – donc préférez-les avant la douche !

À l'inverse vous pouvez effectuer les exercices de renforcement musculaire Core sans souci pendant votre pause du midi.

Évitez de faire les unités cardio avant 7 h 30 du matin, car le niveau de cortisol est encore assez élevé. Cela peut entraîner des moments de fatigue au cours de la journée et surtout c'est mauvais pour le cœur.

Astuce Core

ENTRAÎNEZ-VOUS EN UNE FOIS

À vous de choisir si vous voulez faire deux fois 30 minutes ou une fois 60 minutes. S'il s'agit du même type d'entraînement, par exemple deux fois des unités cardio ou deux fois du renforcement musculaire, vous avez intérêt à les grouper. Si vous choisissez deux formes différentes d'entraînement, je vous conseille de les planifier sur deux jours différents.

LE SYSTÈME « LEGO » : CE QUI FONCTIONNE LE MIEUX

La structure est simple et facile à composer, vous n'avez qu'à choisir votre module. Vous devez prévoir au moins trois heures d'entraînement Core par semaine et six heures au maximum. En règle générale, plus vous y passez de temps, plus vous obtenez de bons résultats. Au début de la semaine fixez-vous un plan d'entraînement qui s'accorde à votre planning général. Veillez à prévoir que l'entraînement musculaire et les unités cardio ne tombent pas le même jour.

DÉBUTANTS CORE

Appliquez la méthode à la lettre si vous voulez obtenir le résultat escompté.

Vous disposez de 3 heures : optez pour deux séances de 60 minutes d'unités cardio et quatre séances de renforcement musculaire de 15 minutes.

Vous disposez de 4 heures : optez pour deux séances de 60 minutes d'unités cardio et quatre séances de renforcement musculaire de 30 minutes.

Vous disposez de 5 heures : optez pour trois séances de 60 minutes d'unités cardio et une séance de renforcement musculaire de 60 minutes plus deux autres de 30 minutes.

Vous disposez de 6 heures : optez pour trois séances de 60 minutes d'unités cardio et trois séances de renforcement musculaire de 60 minutes – cette formule procure le maximum d'effets par rapport à l'investissement en temps. Veillez à vous accorder un jour de repos !

MOYENNEMENT ENTRAÎNÉ(E)

Vous pouvez varier selon votre bon plaisir. Une fois 60 minutes et une fois 30 minutes d'unités cardio par semaine constituent le programme de base pour vous. Vous pouvez choisir entre renforcement musculaire et unités cardio pour les autres séances de 30 minutes ou les découper en séances de 15 minutes. N'effectuez pas plus d'une unité cardio de 15 minutes par jour et veillez à ne pas faire d'unités cardio le même jour que le renforcement musculaire. Accordez-vous un jour de repos.

Vous disposez de 3 heures : optez pour une séance de 60 minutes et deux séances de 30 minutes d'unités cardio et une séance de 30 minutes et deux séances de 15 minutes de renforcement musculaire.

Vous disposez de 4 heures : optez pour une séance de 60 minutes et deux séances de 30 minutes d'unités cardio et une séance de 60 minutes et deux séances de 30 minutes de renforcement musculaire.

Vous disposez de 5 heures : optez pour une séance de 60 minutes et deux séances de 30 minutes d'unités cardio et trois séances de 60 minutes de renforcement musculaire.

Vous disposez de 6 heures : optez pour deux séances de 60 minutes et deux séances de 30 minutes d'unités cardio et trois séances de 60 minutes de renforcement musculaire.

BIEN ENTRAÎNÉ(E)

Vous avez le choix et vous pouvez profiter pleinement de la flexibilité qu'offre le programme Core. Vous pouvez ne pas suivre mes indications et faire votre propre programme, mais veillez à y inclure au moins une fois une séance de 60 minutes et deux séances de 30 minutes d'unités cardio par semaine. Vous pouvez choisir entre renforcement musculaire et unités cardio pour les autres séances de 30 minutes ou les découper en séances de 15 minutes. N'effectuez pas plus de deux unités cardio de 15 minutes par jour et veillez à ne pas faire d'unités cardio le même jour que le renforcement musculaire. Veillez à vous accorder un jour de repos !

Vous disposez de 3 heures : optez pour une séance de 60 minutes et deux séances de 15 minutes d'unités cardio et une séance de 30 minutes et deux séances de 30 minutes de renforcement musculaire.

Vous disposez de 4 heures : optez pour une séance de 60 minutes et quatre séances de 15 minutes d'unités cardio et quatre séances de 30 minutes de renforcement musculaire.

Vous disposez de 5 heures : optez pour deux séances de 60 minutes, deux séances de 30 minutes et quatre séances de 15 minutes d'unités cardio et deux séances de 30 minutes de renforcement musculaire.

Vous disposez de 6 heures : optez pour deux séances de 60 minutes et quatre séances de 15 minutes d'unités cardio et trois séances de 60 minutes de renforcement musculaire.

Alimentation : les basiques
Mangez bien !

Ici vous allez apprendre tout ce qu'il faut savoir sur une alimentation en accord avec l'entraînement Core. Ainsi vous pourrez facilement intégrer un nouveau comportement alimentaire à votre quotidien.

Des protéines pour plus de muscles

Le rôle principal des protéines est de fabriquer des cellules et d'assurer la maintenance du corps. Leur apport énergétique est faible en comparaison avec des deux autres sources d'énergie : environ 4 kcal par gramme. D'autant plus que le corps peine à les en extraire. `

Les protéines peuvent se transformer en glucides, mais cela ne se produit que si les réserves des deux autres sources d'énergie ne suffisent pas – et dans ce cas il ne s'agit que de 5 à 15 %. En revanche, le corps préfère tirer sur les protéines du foie et des muscles, ce qui baisse la performance et affaiblit le système immunitaire.

Lors des efforts, vous avez besoin des protéines pour d'autres tâches : d'un côté elles seront éliminées par les muscles et de l'autre remises en état lors du mouvement des muscles. Malgré cela vous devriez veiller à votre consommation de protéines dans votre plan d'alimentation, car elles protègent et réparent le corps. Consommez-les en quantités suffisantes, notamment après l'effort que représente l'entraînement, votre corps a besoin des acides aminés qu'ils contiennent pour récupérer vite et rester en bonne santé.

La viande maigre, le poisson et les légumes secs sont d'excellents fournisseurs de protéines, ainsi que la volaille, les produits à base de soja, ou encore les produits laitiers écrémés.

Les lipides protègent le corps

Les organes du corps sont protégés par une couche de graisse. Sous la peau se trouve également une couche adipeuse qui agit comme une isolation thermique et protège le corps des blessures. Si votre alimentation comporte trop d'énergie, votre corps la stocke sous forme de dépôts adipeux sur les hanches, le ventre et

Astuce Core

SOIGNEZ VOS MUSCLES AVEC LES PROTÉINES
Les protéines participent en grande partie à l'édifice du tissu musculaire, mais elles sont également nécessaires pour leur maintien. Dès l'âge de 25 ans le corps perd à peu près 500 grammes de muscles – sauf si vous stoppez cette perte par un entraînement régulier et une nourriture riche en protéines. Concrètement cela signifie de veiller à ce que 10 à 15 % de votre alimentation soit constituée de protéines. En outre vous devriez consommer 1 gramme de protéine par kilogramme de poids. Une femme pesant 60 kilos devrait consommer 60 grammes de protéines par jour. Je vous conseille l'achat de protéines en poudre disponibles en pharmacie. Par ailleurs, un verre de 0,3 litre de lait écrémé contient 10 grammes de protéines…

les cuisses. Vous devez faire beaucoup d'exercices pour atteindre ces dépôts. Ayez une bonne alimentation pour éviter que le corps n'en stocke davantage. Il faut consommer des matières grasses, mais modérément. Il importe également de consommer les bons lipides. Ils présentent un grand avantage : un peu de matière grasse dans un repas prolonge le sentiment de satiété. Le corps a principalement besoin des acides gras essentiels non saturés, car c'est avec eux qu'il fabrique les lipides. Les acides gras essentiels se trouvent par exemple dans les oléagineux, l'huile d'olive, l'huile de chardon. Dans une bonne alimentation, 25 % à 30 % des calories est constitué de matières grasses. Évitez les matières grasses dures comme le beurre ou la margarine ! Ces matières grasses augmentent le risque de maladies cardio-vasculaires. Ils se cachent dans les biscuits secs, crackers, chips et nombre d'aliments de fabrication industrielle.

Les glucides donnent de la force

Les glucides fournissent de l'énergie plus rapidement que les deux autres sources d'énergie. Un glucide composé d'une seule molécule se nomme monosaccharide. Un glucide formé par deux molécules est un disaccharide, et les longues chaînes de molécules de glucides sont des polysaccharides ou oligosaccharides. Les chaînes courtes comme celles des monosaccharides ou disaccharides sont quasiment synonymes de sucre. Plus un aliment présente un goût sucré, plus il contient de sucre, donc des chaînes courtes. Le sucre passe très vite dans le sang, c'est pourquoi il peut fournir rapidement de l'énergie. Les chaînes plus longues nécessitent un scindement avant de pouvoir être assimilées. Les enzymes commencent le travail de fractionnement en molécules simples dans la bouche, puis le gros du travail est effectué dans les intestins. Les glucides contenus dans les produits complets, dans les fruits et légumes sont accompagnés de fibres et agents antioxydants qui stimulent le système immunitaire et ralentissent la digestion.

En règle générale, moins un aliment est transformé, plus il est précieux pour le corps. Préférez si possible les céréales complètes. Les fruits et légumes crus sont souvent meilleurs que cuits.

L'index glycémique et la perte de poids

Ces dernières années l'index glycémique a été souvent cité en liaison avec les régimes. Il s'agit d'un moyen de mesurer à quelle vitesse un glucide consommé augmente le taux de glycémie du sang au-dessus de sa valeur normale. Le corps essaie de garder le taux de glycémie constant.

Astuce Core

MISEZ SUR LES ACIDES GRAS NON SATURÉS

On les trouve dans les graines de tournesol et de potiron, les amandes, les noix de cajou et de pécan ainsi que dans les avocats. La graisse de poisson est très recommandée pour son pouvoir antioxydant, c'est-à-dire sa capacité à capter les radicaux libres. Ainsi elle protège le cœur. Comme l'huile de lin, elle a également des propriétés anti-inflammatoires. Habituez-vous à croquer quelques noix par jour.

Les bananes ont un index glycémique élevé et vous fournissent vite de l'énergie.

Lors de l'arrivée d'une forte dose de sucre, comme après la consommation d'une barre chocolatée, il envoie une grande quantité d'insuline pour décomposer le sucre. Car trop de sucre dans le sang endommage les nerfs et les vaisseaux sanguins. Tout surplus en sucre que le foie n'arrive pas à stocker et qui ne peut pas être utilisé dans l'immédiat est forcément transformé par le corps en dépôts de graisse. L'index glycémique révèle que les aliments qui entrent lentement dans le sang et qui libèrent de l'énergie sur une période longue, ont une valeur glycémique basse. On conseille de préférer des aliments avec une valeur basse et de garder son taux de glycémie constant.

Un taux de glycémie bas aide à perdre du poids

Il a été en effet largement prouvé par la science qu'un taux de glycémie constant, pas trop bas, favorise une bonne endurance, une capacité de concentration stable et un métabolisme actif, soit un mécanisme d'élimination des graisses qui fonctionne. Aussi veillez à ce que votre taux de glycémie ne baisse ou n'augmente pas trop. Concrètement cela signifie que vous pouvez très bien manger une banane si vous êtes sujet à une fringale insur-

montable, même si l'index glycémique de ce fruit est élevé.

En général vous devriez cependant préférer les glucides à chaînes longues dans votre alimentation.

Le mécanisme de scission permet aux molécules de sucre d'entrer lentement et sur une longue période dans le sang, ainsi l'approvisionnement en énergie est assuré sur la durée. Mon conseil : faites six repas par jour pour maintenir votre taux de glycémie à un niveau constant ! Peu importe si vous faites trois grands repas et trois petits ou six repas moyens. L'essentiel est de ne pas entraîner de grandes variations de votre taux de glycémie.

Diminuez vos réservoirs d'énergie et nourrissez-les

Pour bien aller de l'avant et pour déclarer la guerre aux bourrelets, vous devez veiller à ce que vos réservoirs

Astuce Core

PRENEZ VOTRE TEMPS
Remplir à nouveau les réserves de glucides prend un peu de temps. Refaire le plein jusqu'au prochain entraînement peut prendre entre 12 et 24 heures. Le bon moment pour cela est immédiatement après l'entraînement. Un entraînement brûle graisse régulier raccourcit le temps de régénération.

de glucides restent toujours bien remplis. Si vous voulez agir sur la couche adipeuse, l'approvisionnement suffisant, mais pas exagéré en glucides, est très important. Si les réservoirs en glucides du corps sont bien remplis, l'organisme se servira des réserves de graisse et fera fondre les bourrelets. Appliquez-vous à manger toutes les trois heures un repas ou un encas, qui devrait toujours contenir les trois sources d'énergie. Surtout avant et après une séance d'entraînement il est important de mettre suffisamment de nutriments à la disposition du corps. Achetez de la poudre de lait dégraissé, contenant de préférence de la caséine, ainsi que des jus de fruits sans adjonction de sucre. En ajoutant de l'eau vous pouvez en faire très facilement un milk-shake qui vous donne exactement ce dont vous avez besoin avant l'entraînement. Si vous n'avez pas de lactosérum (petit lait) sous la main, vous pouvez également consommer un petit morceau de fruit. Après l'entraînement je vous conseille un milk-shake aux protéines ou une barre énergétique. Lisez bien l'étiquette afin d'éviter les produits à sucres ajoutés.

L'alimentation au quotidien

Donnez un coup de fouet à votre métabolisme – commencez tous les jours sans exception avec un petit-déjeuner. Plus vous déjeunez tôt, mieux c'est. La nuit, le taux de glycémie baisse et le métabolisme se met en état de fonctionnement minimum. Le matin est le moment pour le remettre en route ! Même si vous vous entraînez le matin, vous devriez vous alimenter avant. Un petit morceau de fruit ou quelques gorgées de milk-shake sont mieux que ne rien avoir dans le ventre. Maintenez le feu dans votre four à calories à un niveau constant. Consommez toutes les trois heures les trois sources d'énergie. La taille des portions peut varier. Il faut

Astuce Core

RANGEZ VOS EN-CAS ANTI-FRINGALE À PORTÉE DE MAIN

Au travail ou en déplacement, il est souvent impossible de se préparer un en-cas savoureux et de qualité en termes de valeur nutritionnelle. Donc veillez à stocker des en-cas compatibles avec les préceptes de l'élimination des dépôts de graisse à des endroits stratégiques : par exemple du pain complet et une banane au bureau, une poignée de noix et des fruits secs dans la boîte à gants ou un yaourt maigre et des flocons d'avoine à la maison. Il s'agit d'excellents agents anti-hypoglycémie, qui par leur combinaison sucres lents et sucres rapides agissent rapidement et rassasient à long terme.

Information Core

juste qu'à la fin de la journée leur somme ne dépasse pas votre ration journalière de calories! Procurez-vous un tableau des calories pour mieux maîtriser l'impact calorique de chaque aliment. Si vous déjeunez ou dînez dehors, portez votre choix sur une salade avec des aiguillettes de poulet, un poisson grillé ou de la volaille grillée avec un accompagnement de légumes.

Mon conseil: demandez à ce que la sauce soit servie séparément. C'est ici que se cachent les mauvaises graisses et beaucoup de calories. Freinez-vous sur la vinaigrette et fuyez les sauces – elles contiennent des calories superflues et peuvent contenir de mauvais additifs pour la santé. Veillez à une bonne alimentation avant et après vos séances d'entraînement. Le dîner est également un repas important avant la nuit pendant laquelle le corps jeûne – ne le sautez pas.

Hydratez-vous!

Le corps est composé de 50 à 60 % d'eau – le saviez-vous? Il est recommandé de consommer au minimum 1,5 litre d'eau par jour – l'équivalent de huit verres. Même si vous ne faites pas de sport vous perdez entre 0,5 litre

NE RIEN MANGER POUR PERDRE DU POIDS

Certaines personnes pensent qu'il ne faut pas prendre de petit-déjeuner, qu'il faut s'entraîner à jeun ou exclure les glucides de son alimentation. Certains jeûnent également pour perdre du poids. Aucune de ces trois méthodes n'est bonne pour la santé. Il se peut que le mécanisme de la combustion des dépôts de graisse se mette plus rapidement en marche avec la première méthode; mais cela ne veut pas dire qu'elle est bonne pour votre corps. Rappelons que l'alimentation, la combustion des graisses et la récupération par le repos vont de pair. Le corps ne peut récupérer correctement ni rapidement si vous ne lui donnez des aliments qui sont bons pour lui et qui fournissent une énergie précieuse. Ainsi vous augmentez la qualité de l'entraînement, épargnez votre force ainsi que votre temps et votre entraînement est plus efficace. Celui qui élimine les glucides de son alimentation perd surtout de l'eau – et de sa précieuse masse musculaire. Si vous cessez votre régime, votre poids augmente automatiquement, et dépasse souvent le poids de départ. Le taux de graisse sur la masse corporelle totale augmente – et ceci également au cours du jeûne. En jeûnant vous privez le corps de nutriments importants. Vous perdez des muscles, mais la graisse s'accroche farouchement. Résultat: une alimentation sans glucides perturbe le métabolisme. Vous avez constamment faim et le taux de graisse sur la masse corporelle augmente durablement.

et 1 litre d'eau par jour du fait de la transpiration. Si vous pratiquez un sport, s'il fait chaud ou si vous souhaitez perdre du poids, vos besoins en eau s'accroissent. Si le thermomètre affiche des températures moyennes et que vous suivez le programme d'élimination des graisses Core, je vous conseille de consommer entre 2,5 et 3 litres d'eau par jour.

Votre capacité de concentration et votre efficacité baissent dès que votre corps perd 3 % de ses fluides. Une déshydratation importante, à partir de 20 % environ, peut entraîner la mort.

Il est important de boire régulièrement, pas des grandes quantités (sauf très grande soif après l'entraînement par exemple), mais des gorgées par-ci par-là.

Lors de l'entraînement vous ne vous déshydratez pas seulement, mais vous perdez également des électrolytes, notamment du natrium, du chlorure, du potassium et du magnésium. Vous devez remplacer ces minéraux perdus. Idéalement par un mélange de 1/3 jus de fruits et 2/3 d'eau. Préférez des jus sans adjonction de sucre et à haute teneur en fruits. Les jours sans entraînement préférez de l'eau minéralisée.

Manger ou boire ?

Imaginez qu'une légère faim vous taraude. Vous avez devant vous une baguette bien croustillante et une bouteille d'eau. Que consommez-vous en premier ?

Les études démontrent que la majorité des personnes mangent d'abord du pain, même s'ils n'ont peut-être pas faim, mais plutôt soif.

Faim et soif déclenchent au début une sensation similaire. Apprenez à les distinguer plus précisément !

Si vous prenez six repas par jour, vous ne devriez jamais ressentir une grande faim.

Habituez-vous à boire un peu avant chaque repas afin de maintenir l'équilibre hydrique !

Astuce Core

RATIONNEZ VOS PORTIONS

Plusieurs repas par jour ? Cela rime avec grignotage en continu – ce qu'il ne faut surtout pas faire. Grignoter toute la journée ne fait que vous faire perdre de vue la quantité exacte des calories consommées. Selon les études, la majorité des personnes se trompent dans leur estimation. D'autant plus que le grignotage permanent ne rassasie pas totalement. Donc fixez les heures et les bonnes quantités de nourriture. Rationnez vos portions et sachez avant de vous mettre à table quelle quantité vous souhaitez consommer. Une poignée est une bonne mesure facile à appliquer quand il s'agit de noix, riz, pâtes, etc.

Information Core

TEST: QUEL ENTRAÎNEMENT CORE VOUS CONVIENT?

Pour savoir quelle forme d'entraînement vous convient le mieux, faites ce petit test. Les points obtenus vous orientent vers le programme approprié.

1. Analysez votre profession. Vous travaillez...
a) ... moins de 6 heures par jour?   1 point
b) ... entre 6 et 8 heures par jour?   2 points
c) ... plus de 8 heures par jour?   3 points

2. Pendant votre temps libre vous préférez...
a) ... vous reposer sans beaucoup d'activité physique.   1 point
b) ... une activité physique moyenne,
       quelques promenades ou balades à vélo.   2 points
c) ... une activité sportive.   3 points

3. Vos habitudes alimentaires consistent à...
a) ... manger ce qui vous plaît sans restrictions spécifiques. 1 point
b) ... veiller la plupart du temps à une alimentation saine.   2 points
c) ... prendre très au sérieux le régime alimentaire et
       à le surveiller de très près.   3 points

4. Et la boisson?
a) Je bois quand j'ai soif, parfois également des limonades
   et du Coca-cola.   1 point
b) J'essaie de boire régulièrement, environ 1 à 2 litres
   par jour, mais pas forcément que de l'eau.   2 points
c) Je bois au moins 2 litres d'eau par jour et après
   l'effort sportif du jus de fruits allongé de 2/3 d'eau.   3 points

5. Quand vous rentrez à la maison ...
a) ... vous partez directement en direction du canapé.   1 point
b) ... vous vous activez, sortez ou allez au cinéma.   2 points
c) ... vous pratiquez un sport régulièrement.   3 points

6. Grignoter des friandises est pour vous...
a) ... une indispensable nourriture pour les nerfs.   1 point
b) ... un vice fâcheux.   2 points
c) ... un moment de plaisir intensif conscient.   3 points

7. Enfin le week-end ! Qu'elle est votre occupation préférée ?
a) Repos, télévision et sieste.   1 point
b) Voir des amis, activités légères,
    soins corporels et remise en forme.   2 points
c) Activités sportives actives.   3 points

8. Ouvrez votre armoire à chaussures. Combien de paires de chaussures de sport possédez-vous ?
a) Aucune ou une paire.   1 point
b) 2 paires.   2 points
c) Plus de 2 paires.   3 points

9. Et votre état de santé ?
a) Je suis souvent malade, j'ai facilement froid et
    j'attrape facilement des virus.   1 point
b) J'ai une grippe au moins une fois par an.   2 points
c) C'est plutôt rare que je prenne froid.   3 points

10. Parlons de la régénération passive. Que faites-vous pour votre musculature ?
a) Je ne reçois quasiment jamais de massages.   1 point
b) Je me fais masser de temps en temps.   2 points
c) Pour moi, des massages réguliers
   sont absolument indispensables.   3 points

11. Ouvrez votre réfrigérateur. Vous y trouvez…
a) … beaucoup de plats cuisinés industriels, des sucreries ? 1 point
b) … beaucoup de produits laitiers, de la charcuterie
   des saucisses ou de la viande grasse ?   2 points
c) … beaucoup de légumes, des produits à base de soja
   du poisson frais, des volailles, du jambon ?   3 points

12. Combien de temps pouvez-vous et souhaitez-vous investir par semaine pour affiner votre silhouette ?
a) 2 à 3 heures   1 point
b) 4 à 6 heures   2 points
c) Plus de 6 heures   3 points

RÉSULTATS :

12-20 points :
Vous devriez essayer d'intégrer davantage de temps à une activité physique au quotidien. Si vous ne pratiquez aucun sport, commencez avec l'entraînement Core pour débutants.

21 à 28 points :
Essayez d'adapter votre entraînement de manière plus ciblée à vos facultés personnelles. Le programme du niveau « Moyennement entraînée » est idéal pour vous.

29 à 36 points :
Vous savez déjà très bien intégrer votre activité sportive à votre vie quotidienne. Vous pouvez user et abuser du programme du niveau « Bien entraînée » à votre convenance.

Les bases

ÉLIMINEZ VOS DÉPÔTS DE GRAISSE EN TROIS ÉTAPES

Vous souhaitez perdre vos kilos superflus, tout en maintenant votre motivation et votre énergie intactes ? Si vous connaissez les besoins de votre corps et de votre esprit cela sera très facile pour vous. L'entraînement cardio vous aide à brûler les calories et à vous bâtir une motivation suffisamment forte pour ne pas lâcher en cours de route. Et avec cette stratégie vous pouvez dire très vite adieu à vos bourrelets.

Éliminer les dépôts de graisse
De l'énergie pour le métabolisme

L'entraînement à l'endurance est la première étape du principe Core. Donnez un coup de fouet à votre métabolisme et faites chauffer votre combustion des graisses. Avec un programme cardio adapté vous allez réussir.

Entraînement cardio basic
60 minutes pour une élimination
en douceur

Activez votre métabolisme adipeux. Cet entraînement de base en est le fondement. Il vous permet de brûler davantage de calories et durablement. Mais attention : allez-y doucement.

Entraînement cardio poussé
30 minutes pour plus d'effet

À nous les bourrelets ! L'effet d'un entraînement poussé est d'augmenter en douceur la vitesse du métabolisme et d'accroître ainsi les dépenses caloriques.

Entraînement cardio-turbo
15 minutes de mouvements intensifs
tuent graisse

Et maintenant vous mettez le turbo ! Ces petites unités intensives boostent également le moral.

Éliminer les dépôts de graisse :
de l'énergie pour le métabolisme

L'entraînement à l'endurance stimule le métabolisme et permet la combustion des graisses. Ici vous allez apprendre quel programme cardio Core est adapté à vos besoins personnels, quel type de sport vous convient et comment fonctionne l'entraînement Core.

Vous pouvez combiner quasiment tout sport d'endurance avec votre programme cardio Core. Ce qui importe est que le sport choisi vous passionne et que vous en maîtrisiez bien la technique. Idéalement vous devriez faire appel de temps en temps à un professionnel du sport pour qu'il supervise et corrige éventuellement votre technique. L'entraînement à l'endurance nécessite de bien travailler le rythme dont dépend la fréquence cardiaque. Envisagez l'achat d'un cardiofréquencemètre, de préférence un avec ceinture (voir page 38) pour savoir si vous vous situez dans la bonne zone et si la fréquence de votre pouls est dans les bonnes marges. C'est la seule façon de s'assurer que votre entraînement Core est efficace. Il est bien sûr possible de mesurer le pouls sur votre poignet ou à la carotide, mais cela est moins précis et peu pratique car vous devez vous arrêter pour mesurer.

Trois étapes pour optimiser votre combustion des graisses

Les trois différents programmes cardio Core se complètent : le programme cardio basic vous apporte une solide condition de base. Si vous pratiquez déjà régulièrement un sport d'endurance depuis plus de six mois, comme par exemple du jogging, de

la natation, de l'aviron, etc., plus de 45 minutes, deux à trois fois par semaine, vous disposez très probablement déjà d'une base solide. Dans ce cas, vous n'êtes plus obligé(e) d'avancer doucement, mais vous pouvez cibler les intervalles pour faire tomber les kilos. Cela sera plus facile aux étapes suivantes. L'entraînement cardio poussé demande une dépense en énergie plus intensive. Même bien entraîné(e), si vous débutez, choisissez cette étape et non pas la troisième, le programme cardio-turbo. Car, selon mon expérience, il est très peu probable que vous ayez déjà au début de l'entraînement le niveau du programme turbo. Cette dernière étape n'inclut pas uniquement les unités cardio-turbo, mais aussi les séances de musculation. Aussi ne commencez la phase cardio poussé que lorsque votre endurance de base sera solidement acquise. Enfin pour acquérir le dernier polissage et des résultats intensifs et visibles, passez au programme cardio-turbo.

Attention : pour obtenir une transformation durable du corps il faut combiner les entraînements intelligemment. Personne n'a le même niveau d'entraînement. Comment savoir quel type d'entraînement vous convient ? Je vous expliquerai par la suite com-

Activité sportive	correspondance programme cardio?	dépenses caloriques basic 60 mn	dépenses caloriques basic 30 mn	dépenses caloriques basic 15 mn
Aérobic	tous	380	228	133
Ski de fond	tous	380	228	133
Courir	tous	396	238	139
VTT	tous	390	321	183
Roller nordique	tous, turbo si très entraîné	373	223	130
Jogging nordique	poussé	pas adapté	214	pas adapté
Marche nordique	basic, poussé	360	216	pas adapté
Vélo	tous	270	162	94
Équitation, galop	poussé	pas adapté	220	pas adapté
Aviron	tous	390	312	182
Natation	tous	360	216	126
Skateboard	tous	320	192	112
Ski, descente	poussé, turbo	pas adapté	194	114
Ski, tour	basic, poussé	550	316	pas adapté
Spinning	tous	420	252	147
Squash	poussé	pas adapté	364	pas adapté
Step – Aérobic	tous	400	240	140
Tae Bo	tous	420	252	147
Tennis	basic, poussé	396	238	pas adapté
Marche	basic, poussé	360	216	pas adapté

QUEL TYPE DE SPORT VOUS CONVIENT?

Choisissez dans ce tableau votre sport favori pour l'entraînement cardio. La dépense calorique a été calculée pour une femme pesant 60 kg.

ment l'entraînement à l'endurance peut se transformer en machine à brûler les calories et comment vous pouvez vous-même établir votre programme individuel. En combinaison avec le programme de musculation vous possédez deux alliés imbattables pour vous attaquer efficacement aux bourrelets.

L'entraînement Core et votre sport favori

Vous pratiquez déjà un sport qui vous plaît? Si c'est un sport stimulant l'activité cardio-vasculaire – parfait! Incluez-le dans votre programme d'entraînement en tenant compte du tableau page 35. Pour les sports qui

Information Core

Quel sportif êtes-vous?

Vous n'avez pas encore trouvé un sport brûle graisse qui vous convienne? Choisissez selon vos goûts! Vous ne pourrez tenir à long terme que si vous aimez vraiment ce que vous faites. Vous aimez vous entraîner au grand air? Sortez de la maison! La course à pied, le ski de fond ou l'aviron seront parfaits pour vous. Vous avez des enfants, une carrière, peu de temps? Un sport à pratiquer facilement chez vous ou ailleurs s'impose – comme par exemple la course à pied ou un entraînement à la maison (aérobic, etc.). Si vous n'aimez pas vous entraîner seule, un centre de fitness ou des séances d'entraînement avec vos amis pourront vous convenir.

L'entraînement Core s'accorde bien avec la plupart des sports d'endurance ou avec l'aérobic aquatique.

n'y sont pas listés jugez vous-même s'il s'agit d'un sport d'endurance. C'est le cas si vous pratiquez en continu des mouvements uniformes, si le rythme est soutenu pendant au moins une heure et si au moins 3/6 de la musculature du corps sont sollicités. Je ne vous conseille pas de remplacer des unités Core par tous les autres types de sport. Faites-les en supplément de votre programme Core et surveillez bien combien d'énergie supplémentaire ils vous demandent. Veillez à ne pas vous fatiguer plus rapidement et à ne pas manquer de force à cause de cette pratique supplémentaire.

N'oubliez pas de vous accorder des plages de repos. Un jour par semaine sans sport est une nécessité absolue, n'en faites pas l'impasse !

Développez vos modules brûle graisse

Vous pouvez jongler avec les différents modules d'entraînement, mais cela ne fonctionnera que si tous les systèmes du corps sont d'abord mis en condition pour perdre du poids. Un entraînement efficace nécessite une base musculaire solide. C'est la condition préalable pour atteindre rapidement votre but et pour vous mettre en forme sans risques pour

votre santé. N'oubliez pas vos unités de musculation. De plus, une séance efficace de musculation présuppose également un bon entraînement cardio.

Si vous avez une bonne endurance, vous pouvez optimiser la musculation même avec des séances courtes. Vous pouvez l'obtenir en peu de semaines avec les unités à 60 minutes. Et une fois l'endurance acquise, vous pouvez jongler avec les unités plus courtes de 30 et de 15 minutes.

La base : une solide endurance

Commencez par travailler votre endurance de base. Vous savez certainement qu'un entraînement d'endurance lent et travaillant sur la durée, comme par exemple la course à pied, a un effet immédiat sur la combustion des dépôts de graisse. Cela est vrai en principe, en tout cas au début de ce programme. Ce n'est que si vous apprenez à votre corps dès le début à puiser dans les réserves de graisse (ce qui se passe avec ce type d'entraînement), qu'il changera rapidement.

Il est également important que vous entraîniez deux à trois fois par semaine l'endurance sans forcer sur l'intensité de l'effort. Ce qui compte pour cet entraînement de base est la muscu-

Les kilos ne résistent pas
aux unités turbo.

lature du torse. Elle est votre châssis, votre outil de base pour un entraînement sain et efficace. Avec une base bien entraînée vous obtiendriez les meilleurs résultats.

Les intervalles poussés, mais doux – pour plus d'effet

Si la base est acquise, et qu'il vous est facile de vous exercer sur une durée de 60 minutes, vous êtes prêt(e) pour essayer des intervalles doux. Ainsi vous informez votre corps que vous possédez d'autres sources d'extraction d'énergie, comme par exemple la combustion sans oxygène, donc la libération d'énergie anaérobie.

Si vous avez recours régulièrement à cette méthode d'entraînement vous allez plus intensivement puiser dans vos dépôts de graisse.

Mettez le turbo pour une combustion en feu d'artifice

Ce n'est pas adapté aux novices : si vous voulez vraiment vous attaquer à ces unités, vous devez d'abord vous assurer que vous avez déjà appris à vous reposer vite, donc à reprendre rapidement votre souffle lors des intervalles doux.

Cette méthode brûle énormément de calories, chauffe le corps en durée et continue à brûler des calories pendant quelques heures après la fin de l'entraînement.

Vous allez augmenter votre seuil d'aérobie et d'anaérobie. Ceci signifie qu'au cours d'une séance d'entraînement longue vous puiserez plus d'énergie, et vous brûlerez ainsi plus de graisses.

Astuce Core

COMMENT DÉPASSER UN NIVEAU D'ENTRAÎNEMENT

Vous vous entraînez depuis longtemps de la même manière, mais vous avez cessé de perdre du poids ? Ce problème est très fréquent. À de rares exceptions près toute personne pratiquant un sport régulièrement rencontre au moins une fois dans sa vie cette situation. Les causes sont multiples. Parmi elles figure principalement un entraînement insuffisant des muscles du torse ou trop peu d'endurance. Les bases ne sont pas acquises. La deuxième cause est souvent une alimentation peu adaptée et la troisième un entraînement monotone qui ne sollicite pas assez vos muscles. La méthode brûle graisse Core peut vous aider dans ces trois cas à dépasser ce niveau.

Encore plus d'astuces

L'entraînement avec cardiofréquencemètre

Je vous conseille une méthode ultrarapide pour connaître votre niveau d'entraînement. Il sera votre compagnon parfait et aussi votre coach personnel lors de l'entraînement Core : faites l'acquisition d'un cardiofréquencemètre avec ceinture. Investissez dans un modèle qui ne se contente pas de mesurer la fréquence du pouls (ce que ces petites montres font quasiment avec autant de précision que les modèles professionnels chez votre généraliste), mais qui possède également une mémoire. Demandez conseil à un professionnel. Pour connaître les seuils de la fréquence cardiaque qui vous conviennent, reportez-vous au tableau ci-dessous. Cherchez votre âge, puis choisissez votre programme d'entraînement cardio. Tirez un trait vertical partant de votre âge jusqu'à la frontière haute de la couleur choisie, puis deux traits horizontaux à la frontière haute et la frontière basse de la couleur choisie. Maintenant vous pouvez connaître à gauche les deux seuils qui constituent votre zone à cibler.

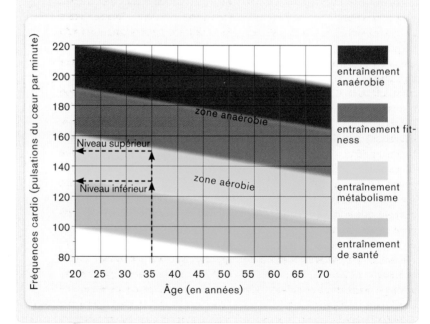

Entraînement cardio basic : 60 mn pour une élimination en douceur

Ce programme d'entraînement vous aide à brûler durablement davantage de calories et éduque le métabolisme.

Commencez doucement votre programme brûle graisse Core. Vous allez confronter votre corps à des sollicitations inhabituelles auxquelles il doit s'habituer. Le cœur, le métabolisme et les muscles ont besoin d'une période d'acclimatation.

Un entraînement cardio doux en combinaison avec des séances de musculations ciblées est la meilleure méthode pour commencer.

L'entraînement Core basic est parfait pour mettre en marche la machine qui brûlera les dépôts de graisse et pour obtenir un métabolisme durablement actif dans le futur. Mais avant de commencer il faut retenir certaines choses.

Choisissez un type de sport adéquat (voir page 35).

Calculez d'abord votre indice de masse corporelle (voir page 13) : vous ne pouvez commencer immédiatement que si la valeur obtenue se situe en dessous de 25.

S'il est entre 25 et 30, je vous conseille d'effectuer une phase d'acclimatation pendant 4 à 12 semaines, sous surveillance médicale ou avec l'aide d'un coach personnel expérimenté.

Si votre indice de masse corporelle se situe dans la zone au-dessus de 25, vous pouvez être sûr(e) que votre entraînement Core sera vraiment efficace.

Mon conseil pour préparer l'entraînement Core : allez nager !

La natation ne sollicite les articulations, la colonne vertébrale et les ligaments qu'avec 10 % du poids du corps et le risque d'accident est très faible.

Si votre indice de masse corporelle est passé en dessous de 25, vous pouvez enfin commencer avec l'entraînement Core. Calculez votre limite de fréquence cardiaque à l'aide du tableau ci-contre. Les seuils, inférieur et supérieur, vous indiquent votre zone de fréquence cardiaque lors de votre entraînement cardio de base. D'ailleurs, les kilos superflus ne fondent pas uniquement après 20 minutes. La combustion fonctionne dès la première minute, mais le pourcentage de graisses brûlées par rapport au nombre total de calories dépensées augmente avec la durée de l'entraînement. L'effet immédiat de la combustion est bien moins important que l'effet à long terme d'un programme cardio d'une longue durée. Un temps d'entraînement plus long se manifeste peu à peu dans votre quotidien par un accès plus rapide aux réserves de graisse. L'entraînement de base ne stimule pas seulement votre combustion des graisses : pratiqué régulièrement, elle agira durablement et avec fiabilité.

Oxygénez-vous !

Pour être sûr(e) d'oxygéner suffisamment votre corps, respectez les seuils que vous avez calculés. L'oxygène donne un coup de pouce à la combustion des dépôts de graisse – surtout contrôlez bien votre respiration ! Je vous conseille la course à pieds. Elle vous permet de bien contrôler la fréquence cardiaque et vous pouvez facilement travailler sur l'intensité du mouvement. La respiration est facile et il est relativement aisé d'acquérir une bonne technique. Par contre je vous déconseille la natation comme sport en complément des unités cardio-basic, à moins d'avoir pris des cours collectifs ou d'avoir vraiment une excellente maîtrise de la technique. Dans l'eau il est très difficile d'atteindre le niveau de fréquence cardiaque requise et de contrôler si elle reste bien entre les seuils de votre zone cible. Chaque regard sur le cardiofréquencemètre interrompt votre séance d'entraînement. Choisissez plutôt du jogging aquatique ou l'aérobic aquatique.

Information Core

UNE BONNE TECHNIQUE AMÉLIORE LE RENDEMENT

La maîtrise de la technique vous permet d'utiliser l'énergie acquise au mieux. Un skieur de fond professionnel est capable de transformer 20 % de l'énergie requise en mouvements en avant. Un coureur à pied qui s'exerce pendant son temps libre peut atteindre selon sa technique entre 17 et 19 %. Lors de la natation, la technique est encore plus importante. En comparaison : un professionnel peut transformer 8 % d'énergie en propulsion en avant, alors qu'un nageur amateur n'atteindra que 1 à 2 %. Ici, la technique est encore plus essentielle pour la qualité des mouvements.

À vos marques, prêts, partez !

Vous êtes impatient(e) de commencer ? Préparez votre équipement et n'oubliez pas le cardiofréquencemètre. Formatez l'appareil au préalable : entrez votre poids, votre taille et l'activité. La plupart des cardiofréquencemètres fonctionnent de manière à émettre des sons si vous dépassez le seuil ou si vous êtes en dessous.

À présent, voici comment fonctionne l'entraînement cardio-basic : vous courez, nagez ou faites de l'aviron très tranquillement dans votre zone basse pendant 5 à 10 minutes. La durée dépendra de la température extérieure et de votre état général. Puis vous continuez votre entraînement pendant 45 à 50 minutes dans la partie haute de votre zone cible. Finissez pendant 5 à 10 minutes dans le bas de la zone cible pour redescendre en douceur. Votre entraînement est fini. Si vous voulez, vous pouvez ajouter des exercices d'étirement pour soulager les muscles sollicités. Mais comme lors des séances de musculation, le stretching et les exercices de renforcement musculaire s'harmonisent, vous ne devriez pas en avoir besoin à ce stade.

Entraînez-vous selon votre silhouette

Contrairement aux rumeurs qui ont la vie dure, la combustion des graisses ne fonctionne pas ponctuellement. Vous ne pouvez donc pas perdre de poids sur des zones ciblées comme les jambes ou le ventre, mais vous allez en perdre sur tout le corps. La combustion des graisses fonctionne à l'inverse du stockage : si vous avez

UN ENTRAÎNEMENT CARDIO LÉGER RÉGULE LE SYSTÈME HORMONAL

L'entraînement d'endurance stimule le moral – c'est prouvé. Ce sont les hormones qui en sont responsables : la noradrénaline et la dopamine. Elles stimulent d'ailleurs également la créativité et peuvent même provoquer des idées de génie. La sérotonine veille à augmenter l'activité et coupe la faim. Pendant les unités cardio longues et lentes, le corps produit également des endorphines : celles-ci provoquent un sentiment de bonheur et de bien-être. Mais ce n'est pas tout ! Le corps produit également une hormone de croissance (hgh) qui ralentit le processus de vieillissement et stimule la formation des cellules. Les endocrinologues sont unanimes : un entraînement cardio régulier peut reculer l'âge hormonal d'environ 10 ans. Ceci est payant surtout quand on se situe au milieu du parcours.

En outre l'entraînement cardio est bénéfique pour vaincre le stress. Il réduit les hormones adrénaline et cortisol, responsables de nervosité, de manque de concentration et des faux mouvements. Aussi, le taux de testostérone augmente légèrement et stimule performances et envie.

pris du poids dernièrement au ventre ou aux cuisses, il est probable que votre corps y puisera en premier lors de la combustion des graisses. Ce que vous pouvez faire en revanche est d'aider astucieusement votre corps. Si vous avez la silhouette dite en poire, donc avec un buste fin et des hanches rondes, je vous conseille l'aviron ou le ski de fond. Ces

L'habit fait le moine

Le bon équipement commence au pied. Les chaussures doivent conduire le mouvement, l'amortir et le soutenir. Saviez-vous qu'une chaussure de sport perd sa capacité d'amortissement des mouvements après environ 1 000 km d'utilisation ? Peu importe le sport cardio que vous avez choisi, investissez dans les chaussures adéquates. Fournissez-vous là, où on peut vous donner des conseils professionnels. Les tenues de sport en matières spécifiques sont agréables à porter et les vêtements en coton sont très confortables, mais pas indispensables. Pour vos habits veillez surtout à ce que vous vous y sentiez bien. Décidez vous-même de ce qui vous semble vraiment utile et indispensable. Les femmes doivent investir dans un bon soutien-gorge sportif pour ne pas abîmer leur poitrine.

ASTUCE POUR LES DÉBUTANTS

Vous êtes débutant(e) et vous avez peur de ne pas réussir à tenir le coup. Vous devriez prendre quelques mesures de prudence : si le sport choisi se pratique dehors, ne vous éloignez pas plus de 15 minutes de votre maison ou de votre voiture. Choisissez de préférence un parcours circulaire court que vous pouvez faire plusieurs fois plutôt qu'un grand tour. En tant que débutant(e) préférez des sports comme la marche, l'aviron, le ski de fond ou la course à pied. Ces sports sollicitent 5/6 de la musculature du corps, tandis que faire du vélo n'en sollicite que 2/6. La natation est très bien pour les personnes possédant déjà la bonne technique, mais elle n'est pas indiquée pour les néophytes. Celui qui sait nager sans vraiment connaître la technique sera très lent, car la qualité du mouvement en souffre. Par ailleurs, il est plus difficile d'augmenter la fréquence cardiaque dans l'eau et il sera très dur de rester dans votre zone cible. Si vous nagez très bien, vous pouvez bien sûr le faire, mais contrôlez votre fréquence cardiaque. Des cardiofréquencemètres imperméables existent dans le commerce. Pour éviter que la ceinture ne bouge pendant l'entraînement, portez un maillot de bain une pièce.

activités sollicitent également le buste et vous procurent outre la combustion des graisses une harmonisation des proportions.

Si votre silhouette est en forme de poire, évitez de trop solliciter les jambes lors de l'entraînement cardio. Les femmes qui stockent les graisses dans les cuisses sont souvent sujettes à la cellulite sur la face externe des cuisses. Ceci veut dire que les tissus sont mal irrigués et que lors de mouvements qui entraînent des chocs comme la course à pied ou le saut, les capillaires peuvent éclater.

Si vous êtes dans ce cas, choisissez plutôt des sports sans forts mouvements percutants.

Prenez votre temps

Effectuez l'entraînement de base pendant au moins 4 à 6 semaines, sauf bien sûr si vous vous êtes déjà entraîné(e) avec une discipline cardio pendant au moins 6 mois 2 à 3 fois par semaine.

Attention : plus vous vous entraînez, plus vos seuils de votre zone cible baissent.

Ajustez toutes les trois semaines les données sur votre cardiofréquencemètre.

Ne commencez pas avec l'étape entraînement cardio-poussé avant d'avoir atteint 140 comme seuil supérieur.

*Information
Core*

À VOUS LES MUSCLES !

Les muscles brûlent plus d'énergie que les tissus adipeux. Au repos 500 grammes de muscles dépensent 50 calories par jour. La même quantité de tissus adipeux ne consomme que 20 calories.
Veillez à suivre toutes les composantes de l'entraînement Core !

Entraînement cardio poussé : 30 mn pour plus d'effet

La base est jetée. La combustion a commencé. Les effets de l'entraînement cardio poussé augmentent à la fois le métabolisme et la dépense calorique.

Vous avez probablement déjà perdu quelques kilos grâce au programme de base et au changement de vos habitudes alimentaires. Vous êtes prêt(e) pour la prochaine étape de l'entraînement cardio. Le programme cardio poussé intensifie l'effet de l'entraînement et agit sur le seuil entre aérobie et anaérobie. Ceci veut dire que bientôt vous pourriez faire du vélo, de l'aviron ou courir plus vite sans avoir à manquer de souffle.

Ceci a un autre avantage : avec l'entraînement cardio poussé vous pouvez brûler plus d'énergie – et en puisant dans les dépôts de graisse et non pas dans les réserves de glucides. Tout ce dont vous avez besoin est un cardiofréquencemètre et un sport qui vous permet de bien guider le tempo et la durée des différentes unités de la séance cardio poussé.

Ne vous acharnez pas

Souvenez-vous toujours que l'entraînement doit vous faire plaisir. Si vous n'avez pas de plaisir à exercer un sport, changez-en. Vous allez peut-être vous rendre compte que le sport choisi n'était pas adapté aux unités du programme cardio poussé. Dans ce cas choisissez-en un autre et maintenez-le pour l'entraînement de base.

Progressez petit à petit

Lors de l'entraînement poussé votre progression viendra par intervalles doux, que vous allez intégrer vous-même dans votre planning selon le besoin ressenti. Dans un premier temps familiarisez-vous avec la zone cible de l'entraînement cardio poussé.

Dans la mesure du possible entrez trois valeurs qui doivent faire réagir votre cardiofréquencemètre : posez respectivement une alarme pour les deux seuils inférieurs des zones entraînement de base et entraînement poussé,

Astuce Core

COMMENT PROGRESSER DAVANTAGE

Vous vous entraînez à l'aide d'un DVD ou vous maîtrisez des mouvements d'aérobic que vous effectuez à la maison - et vous souhaiteriez les intégrer dans votre programme cardio poussé ? Pas de problème si vous savez comment rendre le mouvement plus intensif. D'un côté vous pouvez augmenter l'amplitude du mouvement, comme des pas plus larges, ou en ajoutant des mouvements des bras ou de la tête. Effectuez les mouvements toujours d'une manière très concentrée et parfaitement correcte – le mieux, devant un miroir, qui vous assurera de la qualité de vos mouvements. La troisième manière de progresser : sautez ! Introduisez des petits sauts pour augmenter la fréquence cardiaque au lieu de garder les pieds plantés dans le sol. Comme toujours, contrôlez-vous à l'aide du cardiofréquencemètre.

et un troisième pour le seuil supérieur de la zone entraînement poussé. Commencez votre séance dans le tiers inférieur de la zone d'entraînement de base. Selon la température extérieure et votre état général, faites votre échauffement pendant 5 à 8 minutes. Durant les premières semaines du programme d'entraînement poussé, entraînez-vous d'une manière ludique : augmentez la cadence doucement jusqu'au seuil supérieur de la zone d'entraînement de base. Mémorisez ce sentiment, puis continuez à progresser jusque dans le milieu de la zone d'entraînement poussé et restez-y pendant 1 à 3 minutes. Diminuez l'effort jusqu'à ce que la fréquence cardiaque se situe à nouveau dans le milieu de la zone d'entraînement de base et restez-y jusqu'à ce que votre respiration soit redevenue normale. Puis augmentez la cadence à nouveau pour arriver au milieu de la zone d'entraînement poussé. Faites ceci au moins 3 fois et au maximum 6 fois pendant une unité d'entraînement. Après le dernier intervalle, restez au moins 5 minutes au milieu de la zone d'entraînement de base avant de terminer la séance. Enfin, augmentez le nombre et la durée de vos intervalles chaque semaine selon votre envie. Quand vous êtes arrivé(e) à 6 intervalles, faites un examen de conscience : êtes-vous prêt(e) à passer au niveau supérieur ou avez-vous encore un peu de mal à effectuer des mouvements plus intensifs ? Si vous ne vous sentez pas encore prêt(e), continuez pendant encore une à deux semaines avec ce type d'entraînement. Et veillez à ne pas négliger l'entraînement de base ! Quand vous êtes prêt(e) – passez au stade supérieur.

Encore plus de force avec l'entraînement pyramidal

Désormais vous allez effectuer vos intervalles de manière très contrôlée selon le schéma pyramidal suivant : entraînez-vous dans la zone échauffement de 5 à 8 minutes, pendant 1 minute dans le milieu de la zone entraînement cardio poussé, puis 1 minute retour au milieu de la zone entraînement cardio basic. Puis 2 minutes au milieu de la zone entraînement poussé, puis 2 minutes retour au milieu de la zone entraînement de base. Et pareil encore 3 minutes de poussé et 3 minutes de base. Puis à nouveau 2 minutes de poussé et 2 minutes de base. Finissez par 1 minute dans chacune des zones. Maintenez cette forme d'entraînement pendant une semaine. Augmentez doucement la durée des intervalles en zone entraînement poussé et diminuez les pauses que constituent les minutes dans la zone de l'entraînement de base, jusqu'à parvenir à ce schéma : échauffement, 1 minute poussé, 1 minute base, 2 minutes poussé, 1 minute base, 1 minute poussé, 1 minute base, 2 minutes poussé, 1 minute base et ainsi de suite. Entraînez-vous selon ce schéma pendant au moins une semaine, voire deux avant d'augmenter la cadence. Dans l'étape suivante vous allez augmenter la durée des intervalles en entraînement poussé jusqu'à arriver à ce schéma : échauffement, 2 minutes poussé, 1 minute base, 3 minutes poussé, 1 minute base, 4 minutes poussé, 1 minute base, 4 minutes poussé, 1 minute base, 3 minutes poussé, 1 minute base, 2 minutes poussé, phase de redescente.
Entraînez-vous pendant au moins 2 semaines selon ce schéma.

Entraînement cardio-turbo
15 mn de mouvements
intensifs "tue-graisses"

Ces unités d'entraînement mettent le turbo à la combustion des graisses !
Les séances de cardio-turbo libèrent les endorphines comme un robinet ouvert
– plaisir garanti !

Vous êtes prêt(e) pour la voie royale de l'entraînement cardio ? Il vous assure une combustion maximale de calories et une élimination des dépôts de graisse. Il est très important que vous ayez au préalable bien travaillé les bases avec le programme cardio basic et le programme cardio poussé, car c'est la seule garantie d'exploiter entièrement les avantages du programme turbo tout en respectant votre santé. Mais tous les sports ne sont pas compatibles avec l'entraînement cardio-turbo. Consultez le tableau page 35 et voyez si le sport convient et qu'elles sont les valeurs qui constituent la plage des fréquences cardio s'appliquant à l'entraînement cardio-turbo. Entrez ces nouvelles données dans votre cardiofréquencemètre.

augmenter votre fréquence cardiaque pour atteindre le niveau supérieur de votre zone d'entraînement poussé, et enfin entrer toutes les minutes pendant 20 à 30 secondes dans la zone d'entraînement turbo. Ceci sera particulièrement facile avec le choix suivant de mouvements très complets que je vous ai choisis. Vous allez venir à bout des dépôts de graisse – c'est garanti !

Un maximum de force
en un minimum de temps

Inutile d'investir beaucoup de temps pour produire un effet de choc avec votre entraînement. Commencez par un échauffement d'environ 2 à 3 minutes. Choisissez votre sport et restez dans le milieu de la plage entraî nement de base : faites un jogging sur place ou sautez modérément. Puis attaquez la phase d'entraînement ultra-intensive d'une durée d'environ 10 minutes, lors de laquelle vous allez

Et que ça saute !

Les mouvements suivants accélèrent la combustion de graisse et augmentent les dépenses caloriques – même jusqu'à quelques heures après la fin de l'entraînement.

Pantin

Debout, pieds serrés, contractez légèrement le ventre et le dos. Tendez les bras vers le sol, parallèles au corps. Rapprochez vos omoplates et baissez-les. Rentrez le nombril. **A.** Sautez en position jambes semi-fléchies et écartées. Pointes des pieds et genoux pointés en diagonale vers l'extérieur. Levez les bras en même temps sur les côtés et joignez les mains au-dessus de la tête. Fléchissez les jambes aussi bas que vous pouvez. **B.** Contractez le ventre, le plancher pelvien et les jambes et sautez pour retrouver la position initiale. Répétez.

Sauts de côté

Debout, pieds serrés, contractez légèrement le ventre et le dos. Regardez droit devant vous. Laissez les bras tomber le long du corps et serrez les poings légèrement. Transférez votre poids et faites un saut dynamique vers la droite sur la jambe droite tandis que vous levez le genou gauche à hauteur de la hanche. En même temps, pliez le bras droit avec force puis tirez le poing vers l'épaule droite. **C.**
Sautez à gauche sur la jambe gauche, levez le genou droit et le bras gauche tandis que le bras droit se tend vers le sol. **D.** Répétez en alternant.

Fentes avant

Debout, pieds serrés, contractez légèrement le ventre et le dos. Regardez droit devant vous.

Sautez pour réaliser une fente avant : la jambe droite avant fléchie et la jambe gauche arrière tendue. Fléchissez la jambe droite assez bas tandis que le pied gauche pointe sur le sol. Les bras sont en extension maximum, le bras droit dans le prolongement de la jambe droite tendue, le bras gauche parallèle à la jambe tendue pointe vers le sol. A. Changez de côté par un saut pour porter la jambe gauche en avant. B. Répétez en alternant.

Sauts à la corde

(Vous pouvez réaliser cet exercice avec ou sans corde.)

Debout, pieds serrés, regardez droit devant vous. Contractez légèrement le ventre, collez la partie supérieure des bras le long du corps et positionnez les avant-bras à angle droit. Réalisez des petits sauts avec les deux jambes. En même temps effectuez vers l'arrière des petits mouvements circulaires avec les avant-bras en partant du coude. C. Quand vous aurez trouvé le bon rythme, vous pouvez tous les trois sauts pousser davantage en hauteur et sauter aussi haut que possible en poussant les talons vers le fessier. D.

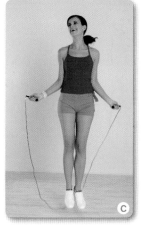

Fentes avant et boxe

Debout, pieds serrés, serrez les poings. Contractez légèrement le ventre et regardez droit devant vous. Les bras à angle droit le long du corps avec les poings au niveau de la taille. Sautez pour réaliser une fente avant : jambe gauche fléchie vers l'avant et jambe droite vers l'arrière. Le torse est droit, les genoux légèrement fléchis. Effectuez un mouvement de boxe avec le poing gauche vers l'avant. **A.** Changez de côté par un saut pour porter la jambe droite en avant et la jambe gauche en arrière. Effectuez un mouvement de boxe avec le poing droit vers l'avant. **B.** Répétez en alternant.

Stimulateur de fréquence cardiaque

Debout, pieds serrés et jambes légèrement fléchies, tenez-vous droit. Contractez légèrement le ventre et le plancher pelvien. Regardez droit devant vous. Levez-vous bras tendus vers le haut. **C.** Faites trois petits sauts élastiques sur place, puis un saut très puissant en ramenant les genoux vers la poitrine autant que possible. Descendez le bras en même temps le long du corps avec un mouvement puissant. **D.** Retrouvez la position d'origine et recommencez.

Sauts en hauteur

Accroupissez-vous assez bas avec les genoux et les pieds serrés. Tenez le torse droit et regardez droit devant vous. Les bras tendus descendent le long des genoux et pointent vers le sol. Tendez les mains. **A.** Dans un mouvement puissant tirez les bras en avant puis au-dessus de la tête. En même temps effectuez un saut en poussant fort avec les deux jambes. **B.** Accroupissez-vous à nouveau et répétez.

Fentes latérales

Debout, pieds serrés, les bras tendus près du corps pointent vers le sol. Regardez droit devant vous et serrez les poings. Réalisez un petit saut pour transférer votre poids sur la jambe gauche, fléchissez légèrement le genou. En même temps effectuez une fente latérale avec la jambe droite pendant que le poing gauche rejoint l'épaule gauche. **C.** Changez de côté par un saut pour transférer votre poids sur la jambe droite et effectuez une fente latérale avec la jambe gauche pendant que le poing droit rejoint l'épaule droite. **D.** Répétez en alternant.

Genoux en levier

Penchez le corps en avant et allongez la jambe droite en arrière. Prenez appui sur le sol avec la main droite tendue à côté de la jambe gauche fléchie devant. Le bras gauche à angle droit et le coude vers l'arrière. Regardez droit devant vous, tenez le torse droit et contractez légèrement le ventre. **A.** Levez le genou droit vers l'avant dans un mouvement puissant. Redressez le torse et poussez sur la jambe gauche vers le haut. Ramenez le genou droit à la hauteur des hanches et accompagnez le saut avec le mouvement des bras. Le bras gauche plié est tiré vers l'avant et le bras droit plié est tiré vers l'arrière. **B.** Retrouvez la position de départ et enchaînez sans faire de pause.

Élévation latérale

Debout, pieds serrés, contractez le ventre et le dos. Transférez le poids sur la jambe droite. Penchez le torse légèrement vers la droite et les poings vers la gauche. Regardez vers la gauche, levez le talon gauche. **A**. Ramenez le genou gauche en hauteur vers le corps. Ramenez le pied en angle droit et effectuez un coup de pied en l'air vers la gauche. **B**. Repliez à nouveau la jambe et reprenez la position d'origine. Enchaînez et répétez. Après 30 à 40 répétitions changez de côté et effectuez le même nombre de mouvements.

Élévation des genoux

Debout, faites des ciseaux, les jambes dans l'axe des épaules. Transférez votre poids du côté droit et pliez légèrement la jambe droite. Étirez la jambe gauche et montez le talon. Serrez les poings et tendez les bras étirés vers la gauche près de la tête. Regardez vers le haut à droite. **C**. Pliez légèrement la jambe gauche et élevez la droite sur le côté avec élan jusqu'à la hauteur du buste. Tirez en même temps les poings serrés vers la droite. **D**. Reprenez la position de départ. Enchaînez et répétez. Après 30 à 40 répétitions changez de côté et effectuez le même nombre de mouvements.

Les bases

BÂTISSEZ VOTRE BASE SELON VOTRE BUDGET TEMPS

Des muscles minces, une silhouette sexy et ferme – voilà les effets secondaires de l'entraînement musculaire Core ! Celui ou celle qui s'applique à ces exercices brûle durablement davantage de calories, améliore son maintien, la qualité de ses mouvements et sa technique. Les unités cardio accompagnent d'une manière optimale cet entraînement et vous permettent d'en tirer le maximum !

Entraînement musculaire Core pour une combustion intensive

Un entraînement sain et efficace – essayez vous-même! Mais avant de commencer encore quelques détails à régler.

Entraînement musculaire basic
Programme en 60 minutes

Exercez-vous avec ce programme global d'entraînement musculaire! Des séances régulières raffermissent votre corps de l'intérieur, vous apportent du charisme et aident à brûler davantage de calories.

Entraînement musculaire poussé
Programme en 30 minutes

Renforcez la base bâtie et rendez votre corps galbé à souhait : vous allez y arriver avec ce programme poussé! Une combinaison intelligente de mouvements intensifs optimise votre temps d'entraînement.

Entraînement musculaire turbo
Programme éclair en 15 minutes

Un petit turbo bien intensif exercera les muscles essentiels et sollicitera torse et jambes au maximum. Votre corps met le cap sur la combustion des graisses et vous veillez à ce que la tension corporelle soit efficace.

Entraînement musculaire Core
pour une combustion intensive

Ces unités d'entraînement sont loin d'être faciles. Choisissez combien de temps vous allez y investir : 15, 30 ou 60 minutes. Lisez ici comment fonctionne l'entraînement musculaire et les détails à connaître.

Tenez-vous droit !

Avant de commencer avec l'entraînement, prenez toujours une posture droite. Contractez légèrement le ventre, le plancher pelvien et le dos. Étirez votre colonne vertébrale : ayez conscience du port de tête dans le prolongement de la colonne vertébrale. Tenez la tête comme une couronne sur le cou et tirez les omoplates en arrière vers le bas (voir encadré page 18).

Un entraînement consciencieux protège les articulations

Les faux mouvements peuvent gravement endommager votre corps. Partez toujours d'un point de départ et visez un point d'arrivée pour chaque mouvement et concentrez-vous dans l'exécution des diverses séquences d'entraînement.

Si vous constatez que vous n'arrivez pas encore à réaliser le nombre prévu de répétitions, faites tout simplement moins de répétitions, mais contrôlez-les consciemment. Pour les exercices de renforcement, essayez de ne pas tendre les articulations jusqu'au bout, sauf si c'est indiqué explicitement dans la description de l'exercice.

La vitesse des mouvements contrôlés est également importante.

Prenez autant de temps pour contracter les muscles que pour les relâcher et faites les exercices plutôt trop lentement que trop vite.

Si vous souhaitez vous entraîner en musique, choisissez un rythme de 128 bpm (beats per minute).

Les mouvements à ressort, les petits bonds, sont également interdits, sauf s'ils sont explicitement indiqués.

Respirez bien pour améliorer vos résultats

Comme pour l'entraînement cardio, veillez à respirer bien profondément lors de votre entraînement musculaire !

Une bonne respiration rend les exercices plus intensifs et contrôlés. Elle améliore également la fluidité des mouvements. Ainsi le corps est bien oxygéné.

L'oxygène améliore la combustion des graisses, car – souvenez-vous – la combustion ne peut fonctionner de manière optimale que s'il y a suffisamment d'oxygène.

Astuce Core

RESPIRATION ET TENSION MUSCULAIRE
Laissez votre respiration accompagner l'effort musculaire : soufflez quand vous contractez, le travail des muscles en profitera. Respirez quand vous relâchez ou détendez les muscles.

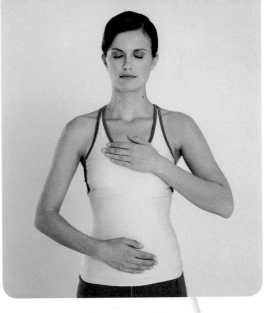

Chaque séance d'entraînement est composée de trois phases : l'échauffement, l'entraînement proprement dit, et le stretching.

Échauffez-vous avant chaque séance, entre 3 à 8 minutes, avec des mouvements adaptés avant de commencer l'entraînement.

Selon votre budget temps, je vous ai choisi un mélange d'exercices de renforcement et d'étirement.

Veillez à respecter l'ordre des exercices, il a été établi selon des critères médicaux et scientifiques.

Si vous êtes déjà bien entraîné(e), vous avez pour certains exercices la possibilité d'augmenter en difficulté et de solliciter davantage les muscles, l'équilibre et la coordination.

Dans le texte et sur les photos ils seront marqués d'un « V ». pour variante.

Tout ce dont vous avez besoin pour votre séance d'entraînement est une serviette, un tapis de yoga ou de gymnastique et une bouteille d'eau.

S'échauffer à la bonne
température !

La meilleure façon de préparer les articulations, ligaments et muscles à l'effort sont les exercices d'aérobic, ou quelques minutes de vélo d'intérieur, de corde à sauter ou de trampoline.

Comment bien respirer

Pour une respiration parfaite gonflez toutes les parties de vos poumons ! Vous pouvez très bien vous entraîner à maîtriser cette technique devant le miroir ou allongé(e). Posez une main sur le sternum et l'autre sur le ventre. Inspirez en comptant jusqu'à 4 et soufflez sur le même rythme. Puis prolongez le temps de respiration à 6 puis 8 mesures. Maintenant prenez le contrôle de votre respiration : laissez entrer l'air d'abord dans le ventre, dans les poumons puis jusqu'au sternum. En soufflant, videz d'abord le ventre puis la cage thoracique. Ceux qui ont déjà un peu d'entraînement peuvent tenter de bloquer la respiration pendant quelques mesures entre l'inspiration et l'expiration, ainsi qu'avec les poumons vides. Quand vous faites du sport habituez-vous à une respiration régulière et profonde.

Il est important que vous n'en fassiez pas un exercice de renforcement, il s'agit juste de mettre le corps doucement en condition.

Le kick-boxing, le squash ou le sprint ne sont donc pas très indiqués pour l'échauffement !

Fentes en avant

Ce mouvement renforce les jambes et les fessiers ; surtout la variante qui sollicite intensivement les muscles qui stabilisent le torse et les jambes.

Rester droit
Pendant toute la durée de cet exercice votre buste doit rester droit et votre ventre tendu.

Voici comment faire :

- Tenez-vous droit. La tête dans le prolongement de la colonne vertébrale et les omoplates tirées vers le bas. Contractez légèrement le ventre et le dos.
- Réalisez une large fente en avant avec la jambe droite. Maintenez votre torse au milieu, les bras tombent le long du corps. Regardez droit devant vous. A.
- Pliez les deux genoux en même temps jusqu'à ce que le bas de la jambe gauche soit quasiment parallèle au sol. L'angle de la jambe avant devrait atteindre au moins 90° en extension maximale ! Élevez les bras devant vous en même temps jusqu'à hauteur des épaules. B.
- Les paumes sont tournées vers le sol.
- Les personnes entraînées peuvent faire cet exercice en posant le pied devant sur une serviette pliée ou un tapis de gymnastique enroulé. C.
- Levez-vous par la force des jambes et sans pause, lentement et régulièrement, puis descendez. Répétez 20 à 30 fois, puis changez de côté.

Balance latérale

Ce mouvement exerce le sens de l'équilibre et celui de la coordination des mouvements. Mais il sollicite également des muscles profonds.

Voici comment faire :

- Faites un grand écart. Les genoux et les pointes des pieds dirigés vers l'extérieur. Fléchissez légèrement les jambes et poussez les genoux bien vers l'arrière.
- Tenez le torse droit bien au milieu du corps. Regardez droit devant vous et contractez légèrement le ventre et le dos.
- Soulevez les talons et continuez à pousser les genoux vers l'arrière. Élevez les coudes à la hauteur des épaules. Écartez les omoplates et baissez-les. Maintenez vos mains à la hauteur du sternum et posez-les paume contre paume.
- Fléchissez les jambes davantage. A.
- Remontez doucement, mais ne tendez pas les jambes complètement. Répétez 15 à 20 fois, puis descendez les talons.
- Transférez le poids du côté gauche. Élevez en même temps la jambe droite tendue jusqu'à ce que la jambe droite et le torse soient parallèles au sol. Le bras gauche le sera également. Le bras droit repose sur la hanche et les cuisses. B.
- Tenir la position pendant 3 à 5 respirations, et retourner en position écartée. Puis réalisez l'exercice B de l'autre côté.

> **Trouver son équilibre**
> Si vous avez du mal à garder votre équilibre pendant cet exercice, fixez un point devant vous ou regardez-vous dans les yeux si vous êtes devant un miroir. Cela vous aidera à vous stabiliser.

Renforcement musculaire du dos

Cet exercice renforce surtout le dos, mais sollicite aussi les muscles des jambes et du fessier.

Stabiliser la partie inférieure du corps

Lors de cet exercice veillez à ne pas bouger le bas du corps ! Lors de la variante. Les jambes et les hanches ne bougent pas.

Voici comment faire :

- Tenez-vous droit, les pieds à l'aplomb des hanches. Les pointes des pieds pointent vers l'avant. Contractez légèrement les abdominaux, le plancher pelvien et le dos.
- Fléchissez les jambes pour réaliser un angle de 90° entre le haut et le bas de la jambe. En même temps avancez le haut du corps en une ligne droite vers l'avant.
- Maintenez la tête dans le prolongement de la colonne vertébrale et laissez les bras tomber le long du corps, les paumes face à face. Maintenant la majeure partie du poids se trouve dans les talons. Les genoux sont placés verticalement au-dessus du métatarse. **A.**
- Le buste et les cuisses forment ainsi un angle de 90°. Tendez les bras en forme de V au-dessus de votre tête et faites tourner les pouces légèrement vers l'extérieur. **B.**
- Les personnes entraînées peuvent maintenant tourner le buste vers la droite en ne bougeant que la taille. Les genoux restent à la même hauteur. Ne bougez pas les hanches ! **C.** Lors de la répétition, tournez vers l'autre côté.
- Dans la position en avant, baissez les bras. Répétez 20 à 30 fois en alternant.

Pendule

Cet exercice sollicite la coordination des mouvements et le sens de l'équilibre. Il active les muscles du torse.

Voici comment faire :

- Tenez-vous droit, la tête dans le prolongement de la colonne vertébrale. Contractez les abdominaux.
- Transférez le poids sur la jambe gauche et élevez latéralement la jambe droite sans rotation des hanches. En même temps, étirez votre bras gauche latéralement à hauteur des épaules, la paume parallèle au sol. Le bras droit devant pointe diagonalement vers le sol. A.
- Portez la jambe droite vers l'avant, les pointes des pieds tendues et élevez la jambe diagonalement vers la gauche aussi haut que vous pouvez. En même temps, élevez le bras droit latéralement jusqu'à hauteur des épaules et baissez le bras gauche devant le corps jusqu'à ce qu'il pointe diagonalement vers le sol. B.
- Répétez 12 à 15 fois de chaque côté, puis reprenez lentement la position du départ.

Allez-y lentement
Réalisez ce mouvement très lentement. Si vous le trouvez trop compliqué, commencez sans le mouvement des bras.

Le pont

Faites le plein de force pour tous les muscles du torse ! Les abdominaux et le dos se stabilisent et l'arrière des cuisses se raffermit.

Voici comment faire :

- Mettez-vous à quatre pattes. Posez les avant-bras sur le tapis : les coudes sont perpendiculaires aux articulations des épaules. Les mains sont posées sur le sol.
- Tendez les jambes. Elles forment une ligne droite avec la tête et le torse. Écartez les pieds de la largeur des hanches. **A**.
- Transférez le poids sur la jambe droite. Élevez la jambe gauche lentement à environ 40 à 50 centimètres du sol. **B**. Baissez-la.
- Les personnes entraînées peuvent réaliser cet exercice avec les bras tendus. **C**.
- Répétez 15 à 20 fois sur chaque pied.

De la force dans les épaules

Veillez à contracter la musculature des épaules pendant toute la durée de l'exercice afin de ne pas trop solliciter les articulations.

Élévation du bassin

Raffermissez cuisses et fessier. Renforcez les muscles accompagnant le torse et les jambes.

Voici comment faire :
- Allongez-vous sur le dos, les bras étendus le long du corps, les paumes légèrement appuyées sur le sol. Allongez la nuque et pointez le menton légèrement vers le buste.
- Fléchissez les jambes et posez les pieds sur le sol. Les genoux écartés de l'espace d'un poing. A.
- Appuyez les pieds fortement contre le sol et élevez le bassin et le dos de manière à ce que les cuisses et le haut du corps forment une ligne droite. B.
- Les plus entraînés peuvent maintenant transférer le poids sur la jambe droite et élever la jambe gauche dans le prolongement de la ligne droite. C.
- Abaissez le bassin, mais ne vous posez pas. Le fessier reste en l'air. Répétez 12 à 15 fois, puis changez de côté.

Un ventre ferme !
Veillez à ce que vos abdominaux soient contractés avant même de commencer cet exercice. Poussez le bassin vers le haut, puis baissez-le et rentrez le nombril vers l'intérieur et vers la cage thoracique. Surtout ne bougez pas la tête sur les côtés !

Coup de fouet pour une taille fine

Cet exercice vous sculpte une taille fine, active le métabolisme et sollicite les muscles du torse.

Voici comment faire :

- Asseyez-vous sur votre côté gauche. Appuyez-vous sur votre main gauche posée verticalement sous l'épaule, les doigts pointent vers l'avant.
- Élevez vos hanches aussi haut que possible. Le bas de la jambe gauche repose par terre et pointe en arrière. Contractez légèrement le ventre et regardez droit devant vous.
- Étirez votre jambe droite et soulevez-la de façon qu'elle forme une ligne droite avec le torse.
- Étirez le bras droit dans le prolongement du torse. Les paumes dirigées vers le sol. Dégagez l'épaule de la tête. **A**.
- En pliant le bras droit, rapprochez-le de la jambe droite dans un mouvement rapide et puissant, et faites se toucher le genou et le coude au niveau de la taille. Posez le regard sur votre genou et le coude. **B**.
- Reprenez la position initiale. Répétez 12 à 15 fois, puis changez de côté.

Activez vos épaules !
Pendant tout l'exercice veillez à ce que vous vous propulsiez vers le haut par les épaules.

Petits battements d'une jambe

Cet exercice stabilise le torse et sollicite de petits muscles du corps.

Voici comment faire :

- Allongez-vous sur le côté droit. Appuyez-vous sur l'avant-bras droit et placez le coude perpendiculairement sous votre épaule. Les doigts pointent vers l'avant.
- Étirez les jambes dans le prolongement du torse et posez-les l'une sur l'autre. Posez le bras gauche sur le long du corps, sans appuyer. Activez la tension dans l'épaule et poussez le bassin en partant de l'épaule jusqu'à ce que les jambes et le torse forment une ligne. A.
- Pieds en flexion vous élevez votre jambe gauche. B.
- Les personnes entraînées peuvent faire cet exercice le bras droit étiré. Appuyez-vous sur la paume de la main droite, les doigts pointent vers l'avant. C.
- Abaissez la jambe gauche, mais ne la posez pas. La jambe reste suspendue en l'air.
- Répétez 12 à 15 fois, puis changez de côté.

Attention à votre dos
Contractez consciencieusement le ventre et le plancher pelvien et évitez de cambrer le dos.

Des fesses en acier

Cet exercice sculpte les fessiers! Il sollicite également les muscles du dos et de cuisses.

Voici comment faire :

- Allongez-vous sur le ventre. Pliez les bras et posez votre front sur les mains. Allongez les jambes sans étirer dans un premier temps. Rentrez votre nombril.
- Écartez vos genoux dans l'axe des épaules. Croisez les articulations des pieds et contractez lentement le dos. A.
- Activez la tension dans les fessiers et le haut des cuisses, puis levez vos genoux aussi haut que possible. Attention : les hanches restent au sol. B.
- Abaissez les genoux et les cuisses, mais ne les posez pas. La jambe reste suspendue en l'air.
- Répétez 12 à 15 fois, puis changez de côté.

De la force pour les abdominaux

Fermeté pour le milieu du corps – même la partie basse !

Voici comment faire :

- Allongez-vous sur le dos. Fléchissez les jambes et dans un premier temps posez les pieds en flexion sur le sol.
- Placez vos mains derrière la nuque sans forcer et regardez le plafond. Dirigez votre menton légèrement vers la poitrine. Élevez vos jambes fléchies, le bas des jambes parallèles au sol et les genoux perpendiculaires aux articulations de la hanche.
- Soulevez la tête et les épaules en tirant les coudes vers l'extérieur. **A.**
- Maintenez la tête et les épaules soulevées, puis étirez la jambe droite et abaissez-la jusqu'au sol sans le toucher. **B.** Fléchissez-la et ramenez-la dans la position initiale.
- Maintenez la tête et les épaules soulevées, puis répétez le mouvement avec la jambe gauche. Répétez environ 20 fois en alternant.

Soignez votre dos
Contrôlez bien les mouvements. Si vous n'arrivez pas à maintenir la jambe fléchie, repliez-la et faites l'exercice avec la jambe pliée.

La force intérieure

Cet exercice agit sur les couches profondes des abdominaux et raffermit de l'intérieur.

Voici comment faire :

- Assis(e) par terre le dos droit, posez-vous sur les os coxaux et concentrez-vous pour bien contracter le plancher pelvien. Tenez la tête droite dans le prolongement de la colonne vertébrale et laissez tomber vos épaules décontractées vers le sol.
- Écartez vos jambes de la largeur des épaules. Fléchissez-les et posez vos pieds à plat sur le sol. Étirez vos bras le long des genoux parallèlement au sol. A. Les paumes dirigées vers les genoux.
- En partant de la hanche penchez-vous en arrière jusqu'à ce que vos pieds décollent du sol. Puis soulevez le bas des jambes jusqu'à ce qu'ils soient parallèles au sol. B.
- Les personnes entraînées peuvent étirer les jambes dans cette position. C.
- Maintenez la position pendant 15 à 20 secondes, puis posez lentement, les jambes. Posez la tête sur les genoux le dos arrondi. Reposez-vous la durée d'une respiration. Répétez deux fois.

Restez souple !

Essayez de respirer profondément et avec application pendant toute la durée de l'exercice. Ainsi vous accompagnez l'effort de vos muscles.

Turbo pour une taille fine

Cet exercice renforce les muscles latéraux et droits de l'abdomen et active les muscles du torse et des bras.

Voici comment faire :

- Assis(e) par terre sur le côté droit appuyez-vous sur votre avant-bras droit. Le coude se trouve sous l'articulation de l'épaule et les doigts pointent vers l'avant.
- Fléchissez les jambes et tirez-les devant le corps. Élevez légèrement les pieds et le bas des jambes. Les genoux ne se soulèvent que très peu. A.
- Ramenez les genoux devant la poitrine dans un mouvement puissant en tournant le torse vers la gauche tout en le soulevant un peu. B.
- Retournez à la position d'origine et répétez 20 à 25 fois en alternant.

Sollicitez les muscles verticaux

Veillez à bien tourner le torse lors du fléchissement des jambes, ainsi vous dirigez la puissance de cet exercice vers les muscles latéraux

Enroulez-vous

Ce mouvement sollicite les muscles les plus profonds de l'abdomen et active à la fois les muscles des épaules et des bras.

Voici comment faire :

- Par terre à quatre pattes, posez vos fesses sur vos pieds.
- La tête est dans l'alignement de la colonne vertébrale. Écartez les épaules loin de vos oreilles. A.
- Activez vos abdominaux et élevez vos genoux du sol. Le dos ne s'arrondit que très peu. La tête s'abaisse entre les bras. Poussez les fessiers vers le haut. B.
- Baissez les genoux, mais ne les posez pas au sol. Répétez 5 à 8 fois.

Utilisez la force venue du milieu du corps

Il est très tentant de tirer sa force des jambes et des épaules – surtout au début de l'entraînement. Donc veillez bien à activer les muscles abdominaux pour obtenir l'effet d'entraînement désiré.

Élévation des jambes et du buste

Entraînement intensif des abdominaux. Cet exercice stimule le corps tout entier !

Voici comment faire :

- Assis(e) par terre, le dos droit et la tête dans le prolongement de la colonne vertébrale, posez les deux mains sur le sol à environ 20 cm derrière les fessiers. Fléchissez les bras, les doigts pointés en avant et tirez les coudes vers l'arrière.
- Fléchissez les jambes et les pieds. Élevez les jambes. A.
- Fléchissez les bras davantage et étendez doucement les jambes. B.
- Fléchissez les jambes à nouveau, mais ne les posez pas. Répétez 12 à 15 fois.

Contrôlez vos mouvements
Veillez à réaliser les mouvements calmement de manière contrôlée, même si vous voulez aller vite.

Étirement des hanches et des cuisses

Cet exercice sculpte le devant de vos cuisses, les muscles fléchisseurs de vos hanches et l'avant du corps. Les épaules s'étirent.

Accompagnez les mouvements du dos

Veillez à pousser votre bassin vers l'avant pour ne pas trop solliciter la colonne vertébrale au niveau des lombaires.

Voici comment faire :

- Assis(e) par terre sur vos talons vous veillez à garder les genoux collés l'un à l'autre et posez le dos de vos pieds le long du sol.
- Soulevez votre colonne vertébrale et pensez à bien rentrer le ventre. Posez vos mains souples sur les cuisses.
- Posez vos mains sur les hanches et mettez-vous à genoux. Poussez le bassin vers l'avant et accompagnez le mouvement de vos mains.
- Quand le bassin est poussé vers l'avant au maximum, inclinez votre buste vers l'arrière dans un mouvement lent et étiré.
- Touchez d'abord un pied, puis l'autre et avancez davantage le bassin. Maintenant seulement, si vous le pouvez, descendez doucement la tête sur la nuque. **Photo**.
- Maintenez la position pendant 3 à 5 respirations, puis relâchez la position lentement : levez la tête, remettez le torse droit et asseyez-vous sur les talons.

Étirement des abdominaux et du torse

Cet exercice sculpte le devant de votre corps.

Voici comment faire :

- Allongé(e) par terre, gardez les jambes serrées.
- Appuyez-vous sur les avant-bras. Les coudes sont perpendiculaires aux articulations des épaules, les doigts pointent en avant. Poussez les épaules doucement et consciemment vers le haut. Votre tête est dans le prolongement de la colonne vertébrale. **Photo.**
- Maintenez la position pendant 20 à 30 secondes, respirez profondément. Relâchez la position lentement.

Allez-y lentement

Faites ce mouvement très lentement. Si vous le trouvez trop compliqué, commencez sans le mouvement des bras.

Étirement des jambes et des tendons des genoux

L'arrière des jambes deviendra étiré et mince, les articulations des hanches et le dos seront souples et lisses.

Des étirements inspirés
Essayez d'étirer le dos davantage à chaque inspiration. Et à chaque expiration, courbez-vous vers l'avant et relâchez les muscles.

Voici comment faire :
- Assis(e) par terre le dos droit et bien installé sur les os coxaux, placez la tête dans le prolongement de la colonne vertébrale et gardez les épaules souples.
- Joignez les jambes étirées dans un premier temps, puis ramenez le pied droit sur l'intérieur de la cuisse gauche.
- Descendez votre genou droit autant que possible vers le sol. À la respiration suivante élevez le torse, puis allongez-le le long de la jambe gauche et abaissez-le avec le dos aussi droit que possible sur la jambe gauche. Photo.
- Maintenez la position pendant 3 à 5 respirations, puis relevez le buste lentement et répétez le mouvement de l'autre côté.

Étirement de l'intérieur des cuisses

Ce mouvement étire l'intérieur des cuisses et vous donne une démarche gracieuse.

Voici comment faire :
- Debout écartez largement les jambes. Remontez le torse.
- Fléchissez la jambe gauche jusqu'à pouvoir toucher le sol de la main droite.
- Baissez les fessiers davantage. Le pied droit reste à plat par terre. Photo.
- Maintenez la position d'étirement pendant 20 à 30 secondes, puis relevez le buste lentement et répétez le mouvement de l'autre côté.

Attention aux genoux !
Veillez à ce que l'angle entre les cuisses et le bas des jambes atteigne au moins 90° !

Étirement des muscles rotateurs et du torse

Ce mouvement assouplit le torse, étire les épaules et la nuque.

Voici comment faire :
- Assis(e) par terre, étirez les jambes. La colonne vertébrale est droite et le plancher pelvien légèrement tendu.
- Posez le pied gauche à l'extérieur du genou droit. Tenez le torse droit et posez le coude droit sur la face extérieure du genou gauche.
- Tournez d'abord le torse, puis la tête vers l'arrière à gauche et utilisez le bras gauche pour remettre le torse droit. Photo.
- Maintenez la position d'étirement pendant 3 à 5 respirations, puis relâchez la tension et répétez le mouvement de l'autre côté.

La tête en dernier !
Pour une plus grande amplitude du mouvement, ne tournez la tête qu'à la fin.

Étirement de la poitrine et des épaules

Ce mouvement étire le torse et la ceinture thoracique.

Travaillez sans forcer !
Veillez à ce que vos genoux se trouvent bien dans l'axe des hanches. Toute autre position vous demande des efforts, alors qu'il s'agit ici de détente.

Voici comment faire :

- À quatre pattes, posez les genoux à l'aplomb des hanches, puis avancez doucement avec les mains vers l'avant.
- En vous appuyant sur la pointe des doigts, poussez les épaules doucement vers le sol. Photo.
- Maintenez la position d'étirement pendant 20 à 30 secondes.

Étirement des flancs

Ce mouvement assouplit le torse et la colonne vertébrale.

Le bon croisement
Cet exercice n'est efficace que si vous croisez le bon pied. C'est la jambe qui s'étire qui doit être placée à l'arrière !

Voici comment faire :

- Debout, étirez le dos, contractez légèrement les abdominaux. Tenez la tête droite dans le prolongement de la colonne vertébrale.
- Croisez la jambe gauche derrière la jambe droite et étirez les bras vers le haut. Joignez les mains et abaissez les épaules.
- Courbez votre torse vers la droite et poussez votre hanche vers la gauche. Photo.
- Maintenez la position en étirement maximum pendant 3 à 5 respirations, puis relâchez la tension et répétez le mouvement de l'autre côté.

Étirement du dos et des épaules

Ce mouvement n'assouplit pas seulement le dos et les épaules, mais améliore votre posture !

Voici comment faire :

- Debout, écartez les pieds de la largeur des hanches. Étirez le dos, contractez légèrement les abdominaux et le plancher pelvien.
- Fléchissez les jambes et posez les mains d'abord sur les cuisses. Fléchissez les jambes davantage pour atteindre un angle de 90° entre les cuisses et le bas des jambes. Joignez les mains derrière les cuisses. Abaissez le menton sur la poitrine et faites le dos rond.
- Joignez les doigts et activez la tension dans les mains et les cuisses. Photo.
- Maintenez la position en étirement maximum pendant 20 à 30 secondes.

Détendez-vous !

Pour pleinement profiter de cet exercice, détendez-vous dans cette position. Vous pouvez

Élévations et flexions en avant

Ce mouvement est bon pour l'équilibre, stimule la combustion des stocks de graisse et galbe en profondeur l'intérieur des cuisses.

Voici comment faire :

- Debout, pieds serrés, étirez le dos et la tête, et regardez droit devant vous.
- Contractez légèrement les abdominaux, le plancher pelvien et le dos. Transférez lentement le poids sur la jambe gauche et élevez le pied droit vers le genou gauche.
- Tendez les bras au-dessus de la tête, les poings contractés. Abaissez les omoplates. **A.**
- Dans un mouvement dynamique rapide ramenez les poings serrés vers les épaules et fléchissez la jambe droite vers l'avant comme si vous tapiez dans une balle imaginaire, mais les pieds en flexion. **B.**
- Tendez à nouveau les bras vers le haut et fléchissez les genoux. Enchaînez les mouvements et répétez 15 à 20 fois de chaque côté.

Tenez-vous droit !

Réalisez cet exercice en faisant bien attention à la ceinture abdominale et au dos. Assurez-vous que le torse reste bien droit, vous bénéficierez pleinement des avantages de ce mouvement seulement si ces muscles sont bien activés.

Taille de guêpe

Ce mouvement renforce les jambes et assouplit la taille.

Voici comment faire :

- Écartez largement les jambes. Étirez la jambe gauche au maximum et fléchissez la jambe droite de façon à former un angle de 90°. Les pieds pointent au sol.
- Appuyez la main gauche devant le pied droit, les doigts tournés à la droite. Levez le bras gauche vers le haut, puis par-dessus la tête vers la droite en étirant votre dos en longueur. Portez votre regard vers la paume gauche. Maintenez cette position pendant 3 respirations. A.
- Relevez la main droite lentement du sol et étirez le bras droit parallèlement au bras gauche à côté de la tête. Puis étirez la jambe droite lentement aussi loin que possible. B.
- Maintenez cette position pendant 3 à 5 respirations. Posez la main droite à nouveau au sol et reprenez doucement la position. Répétez de l'autre côté.

Protégez votre dos !
Si vous avez du mal à poser votre main sur le sol, posez le haut du bras sur la cuisse et étirez le dos.

De la force dans le bassin

Ce mouvement galbe et entraîne les fessiers, l'arrière des cuisses et le dos.

Voici comment faire :

- Asseyez-vous sur le sol, dos droit et tête dans le prolongement de la colonne vertébrale. Contractez les abdominaux et le plancher pelvien, activez les muscles dorsaux.
- Appuyez les mains derrière le dos, les doigts pointant vers le corps. Rapprochez les coudes et fléchissez-les légèrement. Fléchissez les jambes et posez les pieds par terre. **A**.
- À la respiration suivante étendez-les bras, appuyez sur les pieds et élevez le bassin jusqu'à ce que le torse et les cuisses se trouvent sur une ligne droite. La tête est penchée légèrement en arrière. **B**.
- Les personnes entraînées peuvent partir de la position finale pour transférer le poids sur une jambe et élever l'autre vers l'avant. **C**.
- Maintenez la posture pendant 20 à 30 secondes en respirant profondément. Relâchez lentement. Répétez deux fois.

Contractez le plancher pelvien !

Veillez à bien contracter le plancher pelvien et la ceinture abdominale pour protéger au maximum votre dos.

Élévations latérales

Ce mouvement sollicite les abdominaux latéraux, les bras et les épaules.

Voici comment faire :

- Asseyez-vous sur le côté droit. Appuyez la main droite sur le sol, les doigts pointant vers l'avant.
- Posez les jambes l'une sur l'autre et fléchissez les pieds. Élevez le bassin pour que les jambes et le torse forment une ligne droite.
- Tendez le bras gauche devant le buste et regardez vers le sol. **A**.
- Dans un grand mouvement circulaire élevez le bras gauche vers le haut en accompagnant le mouvement par la tête. **B**.
- Abaissez le bras à nouveau et enchaînez avec la répétition suivante. Répétez 15 à 20 fois de chaque côté.

Attention aux articulations des épaules !

Pour ne pas trop solliciter les articulations des épaules, contrôlez constamment que vous vous propulsez bien vers le haut en partant des épaules.

Pompes sur les pointes de pieds

Ce mouvement galbe et renforce le buste ainsi que tous les muscles du corps.

Voici comment faire :

- Mettez-vous à quatre pattes, les poignets dans l'axe des épaules et les genoux dans celui des hanches. Les doigts orientés en diagonale vers l'avant.
- Contractez fermement le ventre et le dos et gardez la tête dans le prolongement de la colonne vertébrale. Propulsez-vous vers le haut en partant des épaules. Étirez lentement les jambes. **A**.
- Maintenez la tension du corps, fléchissez les coudes et abaissez le corps comme une planche, aussi bas que possible. **B**.
- Enchaînez sans pause et répétez 12 fois.

Ne vous affaissez pas !
Restez en tension pendant toute la durée de l'exercice, surtout ne cambrez pas le dos !

Coup de pied latéral

Ce mouvement sollicite les muscles du ventre et du dos. Il raffermit les cuisses et stimule la combustion des stocks de graisse.

Voici comment faire :

- Mettez-vous à quatre pattes, les poignets dans l'axe des épaules et les genoux dans celui des hanches. Les doigts orientés vers l'avant.
- Contractez le ventre et le dos, et regardez vers le sol. Étirez le bras droit et la jambe droite. Le pied droit pointe vers le sol. **A**.
- Dans un mouvement dynamique et puissant ramenez le genou droit vers le corps, puis donnez un coup de pied vers l'avant. En même temps ramenez le coude droit et étirez le bras vers l'arrière. **B**.
- Reprenez dans la position d'origine. Répétez cet exercice 12 à 15 fois de chaque côté.

Protégez vos genoux

N'allez pas jusqu'au bout dans l'étirement afin de protéger vos genoux. Réalisez le mouvement avec une grande tension des jambes et contrôlez-la pendant toute la durée de l'exercice.

Ceinture noire pour les abdominaux

Cet exercice très intense travaille principalement la verticalité des muscles abdominaux et stabilise le torse.

Voici comment faire :

- Allongez-vous sur le côté droit. Coincez une serviette enroulée entre les chevilles et tendez les jambes.
- Tendez le bras droit vers l'avant, les paumes tournées vers le haut. Levez les pieds d'environ 20 centimètres. Levez également la tête et regardez droit devant. A.
- Rapprochez doucement les genoux vers le corps, autant que possible. B. Tendez à nouveau doucement les jambes, mais ne les posez pas. Enchaînez et répétez 20 à 25 fois, puis changez de côté.

Une nuque détendue

Si cet exercice vous fait mal à la nuque c'est le signe que votre musculature est peu développée. Abaissez la tête seulement après quelques répétitions et augmentez à chaque entraînement.

Du galbe pour le ventre

Les muscles droits et profonds de la ceinture abdominale seront intensivement stimulés par cet exercice.

Voici comment faire :

- Allongez-vous sur le dos, le menton légèrement baissé vers la poitrine. Allongez les bras le long du corps. Pliez les jambes et levez-les pour former un angle de 90° entre les cuisses et le bas des jambes. A.
- Soulevez le torse à la force des abdominaux et levez la tête et les épaules. Élevez les bras également. Les genoux se trouvent au-dessus des hanches. Vous sentez une légère tension dans le bas du ventre.
- Réalisez des petits battements avec vos bras : 60 à 80 fois, comme si vous activiez une pompe. B.
- Les personnes entraînées peuvent réaliser ce mouvement avec les jambes tendues. C. Si vous avez mal, repliez à nouveau les jambes !

Construire sa force

Si vous avez du mal avec cet exercice rapprochez un peu plus les genoux après quelques répétitions. Et augmentez à chaque entraînement.

Étirements : cuisses, hanches et épaules Photo

Ce mouvement vous confère de belles cuisses minces et un port de reine.

Gardez la tête haute !
Pour éviter de trop solliciter les vertèbres du cou, soulevez consciencieusement votre tête.

Voici comment faire :
- Allongez-vous sur le ventre, les jambes serrées dans un premier temps. Posez le front sur le sol et les bras le long du corps.
- Contractez légèrement les abdominaux et le plancher pelvien. Fléchissez les jambes et attrapez les chevilles avec les deux mains.
- Relevez le torse et les cuisses autant que possible. Regardez droit devant vous. Photo.
- Tenez la position pendant 3 à 5 respirations et décontractez lentement.

Étirements : arrière des jambes et taille

De beaux mollets galbés et des flancs fermes – voilà le résultat de ces étirements.

Gardez la tension
Pour vraiment étirer le torse, veillez à ce qu'il ne s'affaisse pas : élevez-le, puis penchez-le d'un mouvement contrôlé sur le côté tout en maintenant la tension !

Voici comment faire :
- Asseyez-vous par terre, les os du coccyx bien enfoncés et la colonne vertébrale bien droite. Étirez les jambes vers l'avant.
- Écartez les jambes en grand et posez le pied gauche sur l'intérieur de la cuisse gauche. Poussez le genou gauche en direction du sol.
- Passez le bras gauche au-dessus de la tête dans un mouvement ample en passant par le côté. Inclinez-le torse vers la jambe gauche en vous tournant sur le côté comme si vous alliez vous allonger sur une balle. Photo.

Étirements : fessiers et dos

Ce mouvement étire le dos et galbe joliment les fessiers.

Voici comment faire :

- Mettez-vous à quatre pattes. Les poignets dans l'axe des épaules et les genoux dans celui des hanches. Les doigts dirigés vers l'avant.
- Appuyez les paumes sur le sol et écartez les doigts. Soulevez les genoux et poussez les fessiers en arrière et vers le haut. Tendez les jambes.

- Appuyez les épaules vers le sol et laissez la tête pendre entre le haut des bras. Activez les épaules, poussez vers le haut en partant des articulations des épaules. Posez les talons fermement au sol. Photo.
- Maintenez la posture pendant 20 à 30 secondes et respirez régulièrement.

Un peu de tenue

Pour travailler la musculature du dos il faut tendre la colonne vertébrale. Pensez à bien pousser les fessiers en arrière.

Étirements : buste et jambes

Une tenue gracieuse et des jambes minces – cet exercice vous offre les deux !

Voici comment faire :

- Tenez-vous debout les jambes serrées, le dos droit et les abdominaux contractés. Les bras décontractés tombent le long du corps.
- Transférez le poids sur la jambe gauche et tendez le genou gauche. Posez la cheville droite au-dessus du genou gauche. Le genou droit tourne vers l'extérieur.
- Posez les mains sur les cuisses et fléchissez le genou gauche davantage. Gardez le dos droit et regardez droit vers le sol. Photo.
- Maintenez la posture pendant 20 à 30 secondes, puis décontractez-vous. Répétez le mouvement de l'autre côté.

Étirements : épaules, jambes et bras

Cet exercice d'étirement galbe très finement votre buste et rend l'arrière de vos cuisses fermes tout en les allongeant.

Voici comment faire :

- Debout, écartez largement les jambes, les pieds pointés vers l'extérieur. Les genoux sont également tournés légèrement vers l'extérieur.
- Le torse très droit, la tête dans le prolongement de la colonne vertébrale. Contractez le ventre, le plancher pelvien et le dos.
- Joignez les mains derrière le dos, les paumes jointes et les bras tendus. Maintenez la tension des abdominaux.

- Poussez les épaules vers l'arrière et vers le bas, puis penchez-vous en avant par un mouvement des hanches tout en tirant les bras aussi loin que possible au-dessus de la tête vers l'avant et sans arrondir le dos. Photo.

Pour plus d'effet

Vous pouvez augmenter l'intensité de cet exercice en contractant dès le début le plancher pelvien et les abdominaux.

La balance

Travaillez votre équilibre avec ce mouvement. Vous sollicitez également tous les muscles et faites travailler vos jambes.

Voici comment faire :

- Debout, jambes serrées, contractez
  légèrement le ventre, le plancher
  pelvien et le dos. La tête dans le
  prolongement de la colonne vertébrale.
- Fléchissez les jambes, relevez le
  genou droit vers le torse tout en
  repliant le torse vers l'avant en
  l'arrondissant. Tenez le genou avec
  les mains et approchez-le davantage.
  A.
- Relâchez les mains, et dans un
  mouvement lent et régulier, allongez
  la jambe droite vers l'arrière et le
  torse parallèlement au sol, les bras
  levés sur les côtés. **B**.
- Les personnes entraînées peuvent
  tendre la jambe gauche au sol. **C**.
  Regardez vers le sol et maintenez
  la posture un court moment. Puis
  ramenez le genou à nouveau, arrondissez le torse et tenez le genou à
  deux mains.
- Répétez sans faire de pause et sans
  poser le pied droit 8 à 10 fois de
  chaque côté.

Se tenir droit
Sollicitez votre corps un maxi-
mum, veillez à vous tenir droit.
Important : les doigts de pieds de
la jambe levée pointent vers le sol.
N'ouvrez pas la hanche.

Du turbo pour le dos

Cet exercice renforce les muscles du ventre et du dos, mais aussi
ceux des épaules et des bras.

Voici comment faire :

- Mettez-vous à quatre pattes. Les
  poignets dans l'axe des épaules et
  les genoux dans celui des hanches.
  Les doigts orientés vers l'avant.
- Écartez les genoux de la largeur des
  hanches. Contractez légèrement
  le ventre et le dos, et regardez par
  terre. Tendez la jambe gauche et le
  bras droit parallèlement au sol. **A.**
- Arrondissez le dos, le menton
  baissé sur la poitrine. Fléchissez la
  jambe gauche et le bras droit puis
  faites toucher coude et genou sous
  le corps. **B.**
- Les personnes entraînées peuvent
  commencer cet exercice en partant
  de la position d'une pompe, en
  tenant la jambe droite étirée quand
  il faut toucher coude et genou, et
  pousser les fessiers légèrement
  vers le haut. **C.**
- Reprenez la position de départ.
  Répétez cet exercice 12 à 15 fois
  de chaque côté.

Travaillez en diagonale
Veillez à toujours réaliser
l'extension des bras et jambes
opposés.

Les genoux en avant

Cet exercice dynamique renforce tous les muscles – spécialement les muscles de la taille, des bras et des épaules.

Voici comment faire :

- Mettez-vous en position de faire des pompes. Les poignets dans l'axe des épaules, la tête dans le prolongement de la colonne vertébrale. Le torse et les jambes forment une ligne droite. Les doigts des deux mains orientés les uns vers les autres.
- Contractez le ventre et le dos et élevez le pied gauche. Élevez la jambe gauche d'environ 20 à 30 centimètres. **A**.
- Fléchissez les bras, regardez vers la gauche et levez le genou gauche dans un mouvement dynamique sur le côté. **B**.
- Reprenez la position de départ, mais ne posez pas le pied. Enchaînez et répétez cet exercice 8 à 10 fois de chaque côté.

Maintenez la tension dans les épaules

Cet exercice n'est efficace que si vous maintenez la tension dans la ceinture dorsale et si vous faites partir le mouvement des épaules.

Un ventre plat

Cet exercice renforce les muscles du ventre (haut et bas) – un modelage intensif très efficace !

Voici comment faire :

- Allongez-vous par terre. Fléchissez les jambes et baissez le menton légèrement vers la poitrine. Rentrez le nombril. Élevez les jambes de façon que les mollets soient parallèles au sol. Allongez les bras au-dessus de la tête, croisez-les et posez la tête sur le haut des bras. A.

- Augmentez la tension des abdominaux, repoussez les genoux légèrement pour les éloigner du torse. Soulevez le torse aussi haut que possible. B.

- Les personnes entraînées peuvent étirer leurs jambes en diagonale vers l'avant tout en soulevant le torse. C.
- Abaissez le torse, mais ne le posez pas. Ramenez à nouveau les genoux vers les hanches et enchaînez. Répétez cet exercice 25 à 30 fois.

La bonne respiration
Soufflez quand vous soulevez le torse et aspirez quand vous le baissez. Ainsi vous assurez un approvisionnement optimal en oxygène.

Le Twist

Ce mouvement sollicite les muscles transversaux abdominaux d'une manière optimale !

Voici comment faire :

- Allongez-vous par terre les bras en croix. Les paumes posées au sol. Le menton légèrement contracté. Rentrez le nombril.
- Élevez les jambes en gardant les mollets parallèles au sol. **A.**
- Augmentez la tension du torse et baissez vos genoux autant que possible du côté droit. **B.**
- Les personnes entraînées peuvent réaliser cet exercice les jambes allongées. **C.**
- Reprenez la position d'origine, puis abaissez les genoux de l'autre côté. Répétez cet exercice 20 à 25 fois en alternant.

Maintenez la tension abdominale

Ne relâchez pas le ventre. Si vous avez du mal, abaissez moins les genoux.

Étirement : jambes et dos

Cet exercice d'étirement vous fait des jambes minces et fermes, et assouplit le dos.

Voici comment faire :

- Asseyez-vous par terre, le dos droit, les os du coccyx bien collés au sol. La colonne vertébrale droite et le regard dirigé droit devant vous. Les bras décontractés pendent le long du corps. Étirez les jambes serrées, les pieds en flexion.
- Étirez le torse davantage à chaque inspiration. En soufflant, penchez-vous en avant en partant de la hanche. À chaque respiration étirez-vous davantage et penchez-vous jusqu'à ce que la tête touche les jambes. Photo.
- Maintenez la position le plus bas pendant 30 à 40 secondes, puis relevez-vous doucement.

Ne perdez pas patience

Si vous n'arrivez pas à toucher les jambes avec la tête, prolongez la durée de cet exercice jusqu'à 2 minutes et respirez profondément pendant toute la durée.

Étirement : hanches et épaules

Ce mouvement étire le torse et assouplit les hanches et les épaules.

Restez bien droit

Tenez votre torse aussi droit que possible en contractant votre ventre.

Voici comment faire :

- Debout, la tête dans le prolongement de la colonne vertébrale et les pieds serrés.
- Appuyez la main gauche sur la hanche, contractez le ventre et attrapez la cheville gauche avec la main droite derrière vous. Poussez avec le pied contre la main et tirez le genou gauche vers l'arrière. Photo.
- Maintenez la position pendant 20 à 30 secondes, puis relâchez et changez de côté.

Étirement : jambes et fessiers

Ce mouvement vous fait des jambes longues et vous sculpte des fessiers fermes.

Voici comment faire :

- Debout, le dos droit et le regard dirigé droit devant vous. Contractez légèrement le ventre et le dos.
- Penchez le torse vers l'avant et touchez le sol avec les paumes ou le bout des doigts.
- Gardez les pieds serrés, transférez le poids à gauche et fléchissez le genou droit en baissant légèrement la hanche droite. Photo.
- Maintenez la position pendant 20 à 30 secondes, puis relâchez et remettez-vous droit. Répétez de l'autre côté.

Baissez le talon

Souvenez-vous que le talon de la jambe fléchie doit rester en appui sur le sol pour obtenir l'effet d'étirement souhaité.

Ce livre a été publié pour la première fois sous le titre
Fatburning mit dem Core-Programm aux Éditions Südwest
Traduction de Sabine Frefield-Beilborn avec la collaboration
d'Elise Bigot.

Réalisation : emigreen.com

© Marabout (Hachette Livre), 2009

Imprimé en France par Mame
Dépôt légal : Avril 2009
ISBN : 978-2-501-05166-8
40.8641.9 / 01